Popa Singer

ROMANS ET NOUVELLES

Le Mât de cocagne, Gallimard, 1979 ; Folio, 1998.
Alléluia pour une femme-jardin, Gallimard, 1981 ; Folio, 1986.
Hadriana dans tous mes rêves, Gallimard, 1988 ; Folio, 1990.
Éros dans un train chinois, Gallimard, 1990 ; Folio, 1993.

ESSAIS

Pour la révolution, pour la poésie, Leméac, Montréal, 1974.
Bonjour et adieu à la négritude, Robert Laffont, 1980 ; Seghers, 1989.
Le Métier à métisser, Stock, 1998.
Ainsi parle le fleuve noir, Paroles d'Aube, 1998.
Encore une mer à traverser, La Table Ronde, 2005.

POÉSIE

Étincelles, Imprimerie de l'État, Haïti, 1945.
Gerbe de sang, Imprimerie de l'État, Haïti, 1946.
Végétations de clarté, Seghers, 1951.
Traduit du grand large, Seghers, 1952.
Minerai noir, Présence Africaine, 1956.
Journal d'un animal marin, Seghers, 1964 ; Gallimard, 1990.
Un Arc-en-ciel pour l'Occident chrétien, Présence Africaine, 1967.
Cantate d'octobre, Institut du Livre, La Havane ; SNED, Alger, 1968.
Poète à Cuba, Oswald, 1976.
En état de poésie, Éditeurs Français Réunis, 1980.
Au matin de la négritude, Euroeditor, 1990.
Anthologie personnelle, Actes Sud, 1993.
Non-assistance à poètes en danger, Seghers, 2005.
Rage de vivre, œuvres poétiques complètes, Seghers, 2007.

RENÉ DEPESTRE

POPA SINGER

Roman

ZULMA

18, rue du Dragon
Paris VIᵉ

Si vous désirez en savoir davantage
sur Zulma ou sur *Popa Singer*
n'hésitez pas à nous écrire
ou à consulter notre site.
www.zulma.fr

Z

« L'auteur a raconté des aventures aujourd'hui lointaines et révolues, mais qui firent jadis partie du tissu de sa vie. Si quelque lecteur venait à dire que ce livre est "autobiographique", l'écrivain lui répondrait : pour lui toute œuvre sérieuse de fiction est autobiographique, et par exemple, il est difficile de concevoir une œuvre plus autobiographique que *les Voyages de Gulliver.* »

THOMAS WOLFE

mes amis — oh! son gros garçon est né coiffé
et les pieds devant! messieurs et dames, la société
s'il vous plaît, regardez-moi ça : dans ce tiers d'île
de la Caraïbe, était-ce vraiment une bonne idée de
venir au monde avec une coiffe à la tête et les dix
orteils en avant comme au jour du dernier départ ?
merci toutefois saint Philippe et saint Jacques le
Majeur, mère et fils, sortis sains et saufs de la
traversée, vont pouvoir vivre au présent les temps
agités de l'avenir et du passé : le rejeton de ce côté
de la mer caraïbe aura beaucoup à demander à la
rose des vents de son périple d'animal marin

sa percée jamais vue hors du méli-mélo natal
sera seulement comparable au travail de bûche-
ron que l'accouchement aura coûté à chaque
muscle du ventre maternel. L'homme noir qui l'y
a planté savait-il qu'il donnait à porter, neuf mois
durant, de la graine de cheval emballé à vie ? mors
aux dents, sabots à tous les vents, son étalon de
fils jouera des quatre fers sur les pentes qu'il aura
à grimper sans le droit de manquer l'acrobatie

sans filet que sera, aux jours de l'été indien de ses écritures, sa flambée d'invention verbale, en bordure du golfe et des songes de Jacmel, à la lumière des terroirs façonnés au temps des malheurs blancs de la plantation

une boussole volée à un flibustier des Indes occidentales l'orientera sur le bras de mer qui tramera ses passions quelque part en aval de l'aventure des Nègres marrons. Ses partenaires de comédie maritime seront indifféremment des matins en tourbillons de cyclone, des soirées giratoires de femme-jardin, des ailes d'aéroplane, des roues de locomotive. Des années durant, dans un sentier de chèvre, un trot d'âne et un galop de pur-sang fourniront à sa feuille de route d'écrivain des recettes botaniques de création. Des fantaisies de jardinier enchanté piloteront son érotisme solaire au carnaval de idées reçues au vingtième siècle. Un manuel d'horlogerie à la suisse, un outillage de compagnon maçon, un bénitier de cathédrale gothique, un traité de sorcellerie soviétique – sans oublier le Catalogue de la Manufacture des Armes et Cycles de Saint-Étienne – serviront de garde-fou à son état de poésie

une maman-bobine de fil fera planer son cerf-volant enchanté dans l'azur féminin de l'histoire, en mère nourricière, ravie d'alimenter en brins de toute beauté la machine Singer à coudre les beaux draps d'un réel-merveilleux germano-haïtien, dans la peur bleu nuit des années d'enfance, avant d'équiper en rhizomes à la française les flambées de proses du soir qui feraient entendre au monde la sonate de la désolation qui est propre à la peau et aux os d'un pauvre diable de république noire

sa tragédie sans fin portera des noms de personnes : Papa Doc, Rififo Fonthus-Figaro, Clovis Barbotog, Ti-Râ Bordaille, Boss Gros-Bobo, Victor-Hugo Novembre, Claudius Rémont, Francesca de Saint-Totor, camarade Kola, Kesner Altidor, Tédéhomme Maxisextus, Chris Lafalaize, Pépé Nicolas, Jean-Alex Aldébaran, Thomas et Wilfried Monastir, Dany Ti-Jones, Lucien Leprieur, manman-Simone, Maria-Carla Depester, Maria-Antonia von Brentano, Abderrahman von Baschmakoff, Jeanjean Duvalier, Lorimiro Bolant, Arthur Payne, Joe D. Walker, Robert F. Hickey, Levant Kersten, Sonson Pasquier, Angelo Albi, Phil Dominguez, Antonio Alvarez, Yvonne Kima-Rimini, Rachid Ben Estefano, Didier Jeannotin, Pablo Picasso, Marilyn Monroe, Che Guevara, Vincent van Gogh, et les membres des familles Denizan et Fontoriol, et Lili Fontoriol ave maria, et Carson McCullers et Dito Sorel alléluia pour la fée juive des jours de la Sorbonne

à bien d'autres noms propres qui ont enténé-
bré ou ont éclairé a giorno sa solitude de poète
vaincu s'ajouteraient à la liste les noms des *loas*[1]
dénommés Atibon Legba, Erzili Fréda-Dahomey,
Ogou Badagris, Damballah et Aïda Wédo,
Agoué-Taroyo, Popa Singer von Hofmannsthal.
Chrétiens-vivants et dieux païens auront tenu
leur rôle de bourreaux ou de victimes dans des
localités ou des lieudits baptisés Jacmel, Port-au-
Prince, Pétionville, Déluge, Trou-Foban, Cochon-
Gras, Fonds-Sultane, La Croix des Bouquets, Le
Bas-Coq-qui-chante, Le Haut-Coq-qui-chante,
Anse-à-Foufoune, Bombardopolis, Saltrou nom
de Dieu

la fille aînée à Grande-Ya Fleuriblanc, la
Dianira Fontoriol de cette équipée, alias Popa
Singer von Hofmannsthal, la filleule du général
Alphénix Ultimo, à la lueur de ses dons de
voyance et de son identité rhizomatique de *loa-
métis*, donnera des mouvements rotatoires de
sonate à la Mozart aux forces de son destin consti-
tuées en métier à métisser les expériences
principalement tendres de la vie en société

[1] *Loa :* esprit mythique, bon ou mauvais génie des lieux, auquel le culte
vaudou attribue un rôle fondamental dans l'idiosyncrasie et dans l'équipée
historique des Haïtiens. Lors de la crise de possession, ou transe mystique,
le *loa* monte à la tête de son *cheval* (homme ou femme). L'être humain
– ainsi envahi, possédé – est sellé et bridé pour des chevauchées souvent
surréalistes autour de la tragédie réelle des Haïtiens.

navettes, volants, moyeux, roues, poulies,
voilures, palettes, moulins à vent, aubes,
et turbines à vapeur de belles nanas
aideront à tracer dans ses pas de nomade les
racines de banian royal dont aura besoin son
étoile du vieil âge d'homme pour la traversée
des champs d'épreuves, des déserts et des iniquités d'un temps de la planète aux prises avec les
missiles mystiques de la barbarie. Il aura à s'ajouter ses tribulations, ses retournements existentiels,
ses volte-face psychologiques, et aussi les acquis
incorporés à l'acier bien trempé d'un nomadisme
de poète accablé de traverses et de sincérités suc-
cessives. Plus d'une fois mamma mia couvert de
cicatrices, Dick Denizan, la tête pleine à craquer
de réal-utopie, sous les menaces des détourne-
ments d'idéaux, ses idéalisations à la dérive, ses
poétisations en danger de mort, plus d'une fois,
le garçon de Dianira Fontoriol devra en découdre
avec les partisans-crabes des paniers d'horreur
et d'imposture de son vingtième siècle, pour
échapper aux pièges des effets de groupes sans foi
ni loi qui chercheraient à truquer l'histoire de son
tumultueux parcours-vita

à chaque escale, dans ses traversées d'animal
marin, des pouvoirs d'État sorcellaires, érigés sur
son chemin en profanateurs des humanités, lui
tendront des embuscades : droites et courbes de

sa vie seront engagées dans des bagarres, à coups de rasoir ou de fusée, pour la cause d'un petit prince de la tendresse, appelé, dans la compassion et l'innocence, à vivre des temps de guerre civile, en soi-même ou avec ses semblables, en butte aux offensives des vieilles ténèbres de l'épée, la foi, le marché, les trois ordres qui sont à l'origine des naufrages du monde

ses outillages d'îlien de la Caraïbe seront des engins de flibuste et de forge : crochets, grappins, tenailles, soufflet, marteau et enclume de l'aventurier au long cours. Au soleil dernier de son destin sa baraka de poète vaincu prévaudra malgré tout contre le sort, la poisse, les outrages à son appétit de vivre : au plus haut de sa crue l'état de possession qui porte sa Popa Singer von Hofmannsthal sera à ses côtés pour résister à la géométrie cannibale de la nouvelle mer qu'on voudra lui faire traverser. Sa course éperdue à la mer libre devra charrier le gravier, le sable, le limon, le plancton merveilleux des enfances qui protègent l'état de poésie des icebergs meurtriers de la haine et de la barbarie...

PREMIER MOUVEMENT

CHAPITRE I

Un lundi qui tourne au pipi de tigre

Je n'étais pas encore conçu l'après-midi de novembre où la jeune fille de Jacmel qui allait être ma mère fit l'acquisition d'une machine à coudre Singer chez un importateur blanc du Bord-de-Mer. Ce négociant allemand, une décennie auparavant, s'était approprié par la fraude le nom d'un illustre poète autrichien. Une nuit de l'hiver 1913, poursuivi par la justice de l'empereur Guillaume II, il avait dû s'enfuir précipitamment de Berlin. Il s'était ensuite embarqué à Hambourg à bord d'un cargo norvégien. Il avait traversé l'Atlantique avec son butin patronymique. La même année, il devait ouvrir un commerce de produits manufacturés dans un port de la côte sud-est d'Haïti.

À la sortie du magasin à l'enseigne de Hugo von Hofmannsthal, m'a raconté plus d'une fois ma mère, n'ayant pas trouvé de porteur, elle coltinait le carton encombrant qui contenait son précieux achat. Au même moment l'homme qui plus tard serait pour nous papa Loulou vint à passer en cabriolet à deux places. Il s'offrit, tout guilleret, à l'emmener à la maison. Ils se connaissaient depuis l'adolescence. L'entrain fameux de Jacmel leur avait fourni de fréquentes occasions de se rencontrer. Ils avaient joué ensemble aux cartes et aux dominos. Ils avaient participé à des tournois de cerf-volant. Ils s'étaient enivrés de mouvement au carnaval, dans les bals masqués du club Excelsior ou lors des fêtes patronales de saint Philippe et saint Jacques le Majeur dont raffolait le bourg. Ils avaient pareillement pris part à des balades à cheval, des randonnées pédestres, des baignades au lieudit Bassin-Bleu, à la rivière La Gosseline ou aux plages de Civadier et de Carrefour-Raymond.

Jusque-là seuls des effets de groupe avaient équipé en atomes crochus leurs liens de camaraderie. Le hasard de l'emplette chez le faux von Hofmannsthal ménagea leur premier tête-à-tête de couple. Luc Denizan profita à merveille de l'aubaine. Il évita le raidillon qui grimpe du littoral tout droit au plateau de Bel-Air, à moins de dix minutes de la rue de Provence, au domicile des Fontoriol. Il fit plutôt prendre au cheval un petit trot de flânerie dans la partie basse de Jacmel. Il longea les rues du Commerce et de Sainte-Anne jusqu'au lacis de venelles du Bas-des-Orangers. Après un détour dans le quartier des

Raquettes, il remonta dare-dare par la Grand'
Rue et l'avenue des Cayes-Jacmel.

Pour protéger la réputation de la vierge à
marier, Denizan s'amusa à ressasser les histoires
drôles de l'année 1923. Les innocents éclats de
rire qui ponctuaient la promenade lui ôtèrent
ainsi tout caractère d'intrigue galante. Mais, une
fois à l'abri des persiennes entrecloses au salon
des Fontoriol, les jeunes gens oublièrent de déballer le paquet déposé sur le tapis. Ils ne touchèrent
pas aux tartines et au chocolat du goûter. Seule
les subjuguait la promesse qui couvait entre eux :
demander au mariage d'amour de les hisser au
temps d'un lit-arbre-fruitier d'autrefois, à plusieurs mètres au-dessus du niveau zéro de la vie.

— Tout ce que tu racontes de ces années-là,
disais-je à ma mère, est aisé à comprendre, sauf
le pseudonyme à rallonge nobilière germanique
que tu partages avec ta machine à coudre. Pourquoi Popa Singer von Hofmannsthal ? La marque
étant archi-connue, pourquoi pas la Singer, un
point c'est tout ? Qui aurait l'idée de surnommer
un véhicule automobile Ti-Roro *Ford* von Arnim
Brentano ? Ou un fusil de guerre Bibi *Springfield* von Stauffenberg ? Je parie que le surnom
à particule est dû au même accès de tendresse qui
fit de Luc Denizan l'éphémère papa Loulou de
notre enfance.

— Non, Dick, du vivant de ton père, on ne

connaissait ni à ma personne ni à la Singer un nom volé à un esprit d'élite des lettres autrichiennes. Grâce à la navette que l'inventeur américain Isaac Singer mit au point à New York, en 1851, un préparateur en pharmacie et une couturière de Jacmel arrondissaient décemment les fins de mois.

— Comment a-t-on pu donner le patronyme à tiroir d'un grand poète blanc à une mère de famille mulâtre et à son humble outil de travail ?

— C'est néanmoins ce qui s'est passé. En 1937 au tout début de mon veuvage, le matin du vendredi saint, l'une de mes clientes, la maîtresse d'école Clariklé Thermosiris, connue comme moi pour ses états de possession, d'un air inspiré m'a jeté à la tête l'oracle suivant : « Madan Loulou, l'engin en métal et en bois qui sert à élever les cinq orphelins, derrière ses apparences de machine à coudre, est sous la coupe d'un papa-*loa* blanc, originaire de l'Europe centrale. Avant son arrivée dans ton atelier de couture la Singer a vécu en concubinage chaud avec un commerçant allemand patenté en usurpation d'identité. Elle tient de cette liaison le pouvoir de métisser le plancton de la mer des Gros-Blancs européens avec les substances en suspension dans la mémoire des Nègres d'Amérique : effroyable traversée de l'océan Atlantique, calvaire des champs de canne et de coton, vaudou dansé à la lueur des incendies de plantations, martyre de gens enchaînés pour la vie durant. La Notre-Dame des trente-six tribulations aide à gouverner les retombées de la tragédie coloniale dans un foyer sans gouvernail de mari et de père. Loué soit le sosie tout craché à madan Loulou ! louée soit la Popa Singer von Hofmannsthal ! »

— Vive la pietà des Sept Douleurs de l'arc-en-ciel ! dis-je, bien des années après la prophétie de 1937, en caressant les cheveux blancs de ma mère.

Le malheur-tigre à l'haïtienne devait faire de son existence une hypostase de la maternité. On vénéra en elle une mère poule en plusieurs personnes : outre Déjanira ou Dianira Fontoriol, elle aura été madame Luc Denizan pour l'état civil, alias mam Diani dans l'idiome haïtien du foyer, alias madan Loulou pour le voisinage de la rue de l'Église à Jacmel. À partir de l'augure de 1937, à Port-au-Prince cette fois, aux yeux de ses proches comme de sa clientèle, elle serait la Popa Singer von Hofmannsthal. Ses diverses formes d'être féminin lui firent une identité rhizomatique sous le patronyme du magicien viennois du théâtre et de la poésie. Retenez d'ores et déjà, mesdames et messieurs de la compagnie, le nom de jeu (usurpé ?) sous lequel nous avons aimé avec passion la maman-*loa* métis de notre traversée du siècle. Attelée à la chiennerie de confection aux abois, toute la vie elle l'arbora fièrement, aussi bien en famille que dans les situations où elle entrait en communion avec les arcanes de la nuit mythique des Mères !

C'était également écrit que nos géniteurs auraient dans leurs draps des temps et des mouvements d'amour solaires pour engendrer deux filles et trois garçons, avant la mort qui, au matin du 20 octobre 1936, dévora tout cru l'existence à papa Loulou. Dès la disparition du père, le rythme de la couvée Denizan serait réglé sur le rendement d'une machine à coudre hantée aux dix doigts d'un *loa* du bien farouchement obstiné à la besogne de forçat qui devait sauver du naufrage la galère de nos années d'enfance.

Quel sacré lundi du 22 mars 1958 ! Ce matin-là, dans le jardin de curé attenant à la villa de Bourdon, ma mère évoquait des épisodes du passé de Jacmel. La force d'illumination qui nous captivait autrefois dans ses contes du soir se portait également comme un charme en plein éclat du jour. Depuis mon retour d'Europe, c'était un rituel de converser de nos racines durant une paire d'heures de la matinée. Dans sa mémoire de mère-médium je grimpais avec agilité dans la mythologie des grands-parents Fontoriol et Fleuriblanc, côté maternel ; Denizan et Lafontant, côté paternel. Au-delà des annales de la famille, jour après jour de l'an 1958, on a gravi ensemble le pic historique de nos créolades. En cordée de mère et fils, on a escaladé les parois de la « parenthèse vide » de l'histoire des Haïtiens.

Tout a commencé pour nous dans l'île d'Española. Un petit matin sans grâces de 1515, le trafic de la chair noire y prit le relais du génocide des Indiens Arawaks et Karibs. On vécut les siècles suivants sous le joug des rois d'Espagne et de France. Le mouvement qui renversa leur régime monarchique, sous de grands dehors d'universalité, était plutôt hostile à l'humanisation des esclaves noirs. Le pouvoir napoléonien, après la première mesure d'abolition de la Convention nationale de Robespierre, s'empressa de rétablir aux Antilles le sort de bétail de somme hérité de l'âge des Habsbourg et des Bourbons. Seule une *révolution nègre* à Saint-Domingue serait en mesure d'assurer notre passage de la *condition nègre* à la condition humaine.

Cependant le prodige décolonial des Haïtiens tourna vite au cauchemar : prises d'armes et coups d'État continuels, exécutions massives et sommaires de civils innocents, massacres politiques, éruption de volcan libéral ou de petite vérole nationale, mardi gras *bossale*[1] ou carnaval créole, pouvoir noir ou pouvoir mulâtre, cela allait

---

[1] *Bossale, bossalerie :* se dit de la part de l'héritage africain qui serait restée réfractaire au processus de métissage créole.

revenir au même, comme le blanc bonnet bonnet blanc du temps de la colonie. Depuis la geste d'émancipation de 1804, sans l'ombre d'une soirée de rémission, la *négritude jacobine* n'a pas arrêté de remâcher les haïtionades sans objet de toujours. Notre hapax historique fait du surplace existentiel pour rien. Sa roue, plus dentée que partout ailleurs, ivre d'horreur et de désolation, tourne sans fin dans le vide de l'affabulation superstitieuse et médisante.

— Notre aventure humaine, miserere mei Deus à perte de vie Dick, est à haut coefficient de barbarie, se plaignit encore ma mère. On a trouvé le moyen de dissuader la miséricorde de Jésus-Christ en personne. L'enfant de Bethléem s'est éloigné à jamais du pissat des bêtes de proie qui empeste nos travaux et nos jours. Le bouillonnement d'écumes verdâtres qui nous tient lieu d'histoire «nationale» ne fait plus ni chaud ni froid au gouverneur des larmes de la vallée!

— Dix ans avant toi, en 1948, dis-je à mam Diani, un écrivain de l'Italie a écrit à peu près la même chose d'un village désolé du sud de la péninsule: «Le Christ n'y est jamais arrivé, ni le temps, ni l'âme individuelle, ni l'espoir, ni la liaison entre causes et effets, ni la raison, ni l'histoire, ni le sens du temps qui se déroule. (…) Nul message, ni humain ni divin, n'a touché cette terre sombre et sans rédemption… » N'est-ce pas, Popa chérie, le sort des Haïtiens que Carlo Lévi a décrit dans sa fiction italienne ?

— Sauf que chez nous, Dick, la réalité est cent fois pire, dit-elle. Un jour jamais vu de tempête et d'incendie, le samedi 19 septembre 1896 exactement, trois mois avant ma quatrième année, un an après l'invention du cinéma, le Christ arriva en bateau à voiles à l'entrée du golfe de Jacmel. Au lieu de donner un coup de main à la petite ville en flammes, il préféra changer brusquement de cap. Sans nul état d'âme, après un bras d'honneur au général Alphénix Ultimo, et à ses sinistrés, la baleine blanche de la rédemption efface de ses cartes de navigation la latitude de « la-première-république-noire-des-temps-modernes ».

— Il était égal au Rédempteur que le général Ultimo, au nom de ses administrés d'Haïti, l'accuse de non-assistance à humanité noire en danger ?

— Bien sûr, Dick, c'était, hélas ! le cadet de ses soucis évangéliques. « Qu'il aille se faire foutre ! le SOS de la tribu à ce général Alphénix en papier ! » Cet après-midi-là, le premier Gros-Blanc de l'histoire des humanités prend une décision sans détour : éviter à tout prix de porter dans l'espace et la durée des Haïtiens son Temps infini de tendresse et de compassion !

— Son Grand Pardon aurait pu gommer les effets du parricide d'octobre 1806[1]?

— Non Dick, au lieu de laver notre péché originel, il a fait déteindre la noirceur de notre peau sur les moindres péripéties de notre tragédie sans fin.

— Le Christ serait mort sur la croix pour le salut de tous les humains, sauf ceux des tribus qui s'entredévorent sur les méchants kilomètres carrés de nos mornes volcaniques.

— Oui, Dick, le fait est là sous nos yeux.

À cet instant de la conversation une voix de baryton ramena ma mère et moi des pitons en flammes du dix-neuvième siècle de Jacmel à l'atrocité des temps à Papa Doc que traversait le pays.

— Tu attends une visite? dit Popa.

— Pas à ma connaissance.

— S'il vous plaît, il y a quelqu'un? insista le visiteur au timbre rauque des amateurs de tafia.

— Ne bouge pas, Dick, dit Popa. Laisse-moi aller aux nouvelles.

Elle revint dans un état de forte surexcitation.

— La grosse bagnole du président est stationnée devant la maison. Un émissaire du Palais veut te parler. Monsieur Riphallus Foutu-Figaro,

---

[1] Le 17 octobre 1806, en fin d'après-midi, le général Jean-Jacques Dessalines, père de la jeune indépendance d'Haïti, est assassiné par les siens, lors d'un guet-apens au Pont-Rouge, à l'entrée nord de Port-au-Prince.

un nom comme ça à coucher dehors, qu'il a dit, en me faisant un baisemain de gentleman.

— Foutu-Figaro, nom de Dieu ? N'est-ce pas plutôt Fonthus-Figaro ? Au lycée Pétion des années quarante, bien sûr, j'ai eu un condisciple de ce nom-là.

L'envoyé de Papa Doc, en effet, était bel et bien Rififo Fonthus-Figaro. De la quatrième à l'année du bac, au dernier banc de la classe, les drôleries de son cinéma-gratis étaient célèbres dans l'établissement de la rue Montalais. Dans l'encadrement du seuil, mince et svelte dans un complet bleu marine, il était d'environ ma taille et mon âge. Son feutre noir à la texane le faisait cependant paraître plus grand et plus âgé. Aussitôt après notre embrassade, le descendant de mon compagnon d'études me dit sans ambages :

— Trois mois après ton retour an pays tu n'as rien fait pour rencontrer le Chef spirituel à vie de l'État-nation. Ton grand ami est très fâché contre toi. J'ai la consigne de te conduire jusqu'à son Excellence par la peau du cou, voire manu militari s'il le fallait. Oui, monsieur le Nègre errant, le Grand Électrificateur des cons et des bites de la République a envie, toutes affaires d'État cessantes, de bavarder librement, seul à seul, avec, qu'il a dit, « mon poète-héros des journées épiques de janvier 1946 ». Fais-toi en cinq sec une élégance à la Clark Gable. Ce lundi matin

22 mars, la baraka qui se précipite sur le devant de ton pantalon est tout le portrait de l'amande intime à miss Marilyn Monroe !

— Sacré Fifo ! voici ton ciné parlant au pouvoir avec Doc Duvalier. Tu as les images et le piano de l'emploi. Assieds-toi dans ce fauteuil. Popa nous prépare un vrai café de Jacmel.

Quand Fonthus-Figaro fut assis, il posa sur une chaise voisine son chapeau à large bord. Il le considéra avec une expression de vénération. Les mains croisées sur les genoux, il se mit à le célébrer.

— C'est un Royal Stetson de luxe, un cadeau de notre ambassadeur aux Nations Unies, dit-il, en baissant la voix d'un air comploteur, comme s'il me révélait un secret d'État que je ne devrais pour rien au monde divulguer.

— Effectivement, dis-je, ton couvre-chef est du tonnerre !

— Tu te rends compte, Richard Denizan, insista-t-il plus bas encore, n'importe quel jour de la semaine, un Son-Stet-Yal-Ro de super-luxe chapeaute le ti-garçon à sôr Na ! Nom de Dieu de papa feutre texan ! le même galurin à la mode que portent à Londres sir Winston Churchill et sir Anthony Eden, et à Washington, le compère général Ike Eisenhower, quand, habillé en civil, il promène le chien blanc de son empire étoilé sur les quais du Potomac !

— Excuse-moi, Fifo, dis-je, atterré, en m'enfuyant vers la cuisine, nous avons d'abord droit au coup de café au rhum de nos retrouvailles.

Ma mère s'affairait autour du réchaud et de la cafetière en porcelaine.

— Que se passe-t-il ? fit-elle, affolée.

— Figure-toi, Popa, que le président Duvalier aurait dit à Fonthus-Figaro qu'il souhaite « bavarder librement avec le poète-héros des événements épiques de janvier 1946 ».

— Miserere mei Deus ! C'est un piège, Dick. Ça sent à plein nez le double zéro génital du tigre !

— Papa Doc entendra ses quatre vérités !

— Sois prudent, Dick. Ton ancien partenaire au jeu de cartes a disparu depuis longtemps. Tu ne feras jamais assez gaffe : ce *papacito* c'est de la graine d'assassin. Même sa sieste du dimanche pue l'urine des bêtes fauves.

— Le doc-doc de proie en sera pour ses frais de parfum !

— Encore un lundi de la vie qui tourne au pipi de tigre ! soupira Popa, en personne de Jacmel réputée douée du talent de communiquer avec les esprits de l'avenir.

CHAPITRE 2

L'Homo Papadocus

Une limousine comme ça, à dix places au moins, ça pose un rêveur en prose ! J'éprouvais cependant un atroce dégoût de moi-même à m'y trouver dedans, traversant solennellement Port-au-Prince en compagnie du secrétaire particulier du président de la République. Au coin droit du siège arrière, désossé de honte, j'étais un paquet de linge sale, affalé de manière à n'être pas reconnu des passants. À l'autre coin de l'auto, Fonthus-Figaro faisait voluptueusement parade de sa fatuité. On n'échangea pas une parole jusqu'au salon des pas perdus du Palais national.

— On se croirait, dis-je, dans le hall d'une gare à une heure de pointe.

— C'est ainsi chaque jour que papa bon Dieu fait. Rien, ma foi, de plus naturel : tout un chacun à Port-au-Prince veut sentir passer dans ses veines le courant électrique qui alimente en ce lieu la négritude des cons et des bites de la République !

À mon arrivée dans son cabinet de travail,

l'homme Grand Électrificateur se leva et fit prestement le tour de la table dans ma direction. Il me considéra d'abord à la dérobée. M'ayant identifié, il hésita un instant avant de me prendre dans ses bras. Il me regarda en face. Il supputa mes qualités et défauts. Il avait l'œil méfiant et cérémonieux du médecin qui craint que son diagnostic tombe à côté d'une typhoïde ou d'un cancer du gros intestin.

— Tu es le bienvenu dans l'âge d'or de la révolution duvaliériste! dit-il d'une voix de tête rassurée.

Son Excellence portait les marques extérieures d'une sorte de grand deuil national: un trois-pièces en flanelle noire, nœud papillon blanc à pois noirs, pochette assortie, lunettes de borgne, l'œil gauche caché par un verre obscur. Son apparence générale respirait un air sournoisement hargneux et funèbre. La cordialité de l'accueil enténébra encore plus sa dégaine d'adepte du terrorisme d'État. À Fonthus-Figaro, ainsi qu'à deux autres personnes, un pimpant capitaine et une secrétaire d'un âge agréablement incertain, le Grand Électrificateur fit signe de nous laisser seuls.

— On a un paquet de bonnes choses à déballer, n'est-ce pas Dick mon cher? Depuis notre dernier tête-à-tête l'eau de pluie a coulé dans les rigoles, sans toujours rafraîchir la longue marche dans le désert de l'humble médecin de campagne. Maintenant, ça y est. Mon leadership dans ce royaume a la rigueur d'une fonction algébro-physiologique : étant donné Papa Doc et son pouvoir-noir-à-l'haïtienne, on a affaire, Dick, à deux entités x et y. La vibration de l'x bossale doit entraîner la vibration corrélative de l'y créole. L'opération conduit tout droit à la redéfinition de la transcendance raciale des Nègres d'Haïti. Tu reconnais là, n'est-ce pas ? la théorie des ensembles ethno-historico-culturels que Lorimiro Bolant et moi, nous avons, dans les années trente, élaborée dans trois petits essais de bio-sociologie. Depuis, nos travaux de jeunesse n'ont pas arrêté de prendre de la hauteur dans l'estime de la communauté scientifique de la Caraïbe : « Les tendances d'une génération », « État-nation noir et lessivage ethnique », « Le problème des classes à travers l'épopée des Haïtiens ».

Profondément gêné par cette entrée en matière, mal m'en prit de vouloir caresser le léopard politique dans le sens du poil, en citant un passage de l'un des trois libelles encore présent dans ma mémoire.

— *L'axe de notre action est constamment orienté dans le sens d'une détection des éléments bio-psycho-algébriques de l'homme d'Haïti, afin d'en tirer la substance d'une doctrine ultra-nationaliste...*

— *... qui par anticipation, sur le processus bio-*

logique de notre identité hâterait la fonction quan-tique indispensable à la purification ethnique de l'île, grâce au Front national vaudou du salut qui sera chargé d'exalter et de coordonner, en un tout créolement organique, les divers ordres sacrés de l'activité humaine, me relaya doctement Papa Doc. N'était-ce pas super-génial de codifier ainsi les valeurs, éminemment axiomatiques, d'un pan-négrisme bossalement totalitaire ? Les gaillards qui ont trouvé ce truc-là, cher Dick, n'avaient pas cinquante ans à eux deux ! Notre méthode descend tout droit du fer et du feu des idées poli-tiques. Elle permet d'édifier un pays ethni-quement pur, c'est-à-dire historico-culturellement nettoyé de toute impureté blanche comme de toute flétrissure mulâtre : une Haïti où il fait noir comme dans un four gothique ou dans la gueule d'un léopard des Afriques. Nous mettons en route une grande nation couleur aile de corbeau à force d'être pétrie de lorimirobolante magie noire à la Duvalier !

— Une longue marche qui risque de faire des victimes, dis-je, sidéré.

— À ce sujet, Joseph de Maistre fait autorité, notamment dans *les Soirées de Saint-Pétersbourg*. Tu as dû lire, bien sûr, ce maître-livre, à Sciences Po.

— Oui, monsieur le président.

— Jamais de « monsieur le président » entre nous, poète très cher. Appelle-moi Doc Duvalier comme au bon vieux temps des parties de cartes du dimanche après-midi, à la rue Eloy-Alfaro. Tu étais précocement doué pour le trois-sept. Tu titillais aussi en virtuose le clitoris des muses adolescentes du Bas-Peu-de-Chose! L'éternel perdant, c'était le futur Papa Doc. Tu lui fixais des épingles à linge au nez, au gras de l'avant-bras, au cheveu et aux deux oreilles. Tu proclamais ainsi urbi et orbi tes exploits aux cartes. Revenons à mon alter ego de Maistre : « Un acte politique ne se juge pas au nombre des victimes qu'il fait, mais aux maux qu'il évite. » Telles sont, avant la lettre, la foi et l'espérance du premier clinicien de race noire fermement décidé à administrer la pénicilline du développement à une république infectée de l'hémisphère occidental : pour épargner de grands malheurs à mes Haïtiens, il faudra les soumettre régulièrement à la cure de jouvence du bain de sang!

— Outre de Maistre, dis-je, sans voix, quels seraient les autres inspirateurs de ce terrorisme mystique… balnéaire?

— Terrorisme mystique balnéaire? Loin de me choquer ta formule de poète me convient à merveille. Pour aller vite, je citerai pêle-mêle Mustafa Kemal l'Atatürk; Jacques Bénigne Bossuet, notamment dans ses sermons du carême; Georges Jacques Danton, le Montagnard capital de la Révolution française; l'empereur

Faustin Soulouque le Magnifique ; une pincée de Lévy-Bruhl pour tout Georges Sorel ; l'immense Portugais Oliveira Salazar, bien sûr ; les frères siamois Marcel et André Boll ; le mirobolant Lorimiro Bolant, mon feu frère en ethnologie appliquée à la dictature politique ; sans oublier, pour la fine bouche, le dessus du panier des maîtres à penser la violence moderne, *last but not least*, foutre-sang-tonnerre ! gloire à l'incommensurable professeur islamo-autrichien Abderrahman von Baschmakoff !

— Comment dis-tu, Excellence, pardon, Doc Duvalier ?

— Mon très pauvre petit camarade, tu n'as pas entendu à la Sorbonne parler des travaux de von Baschmakoff ? Ce géant de l'épistémologie a renouvelé les fondements de la science politique, quant au rôle qu'il faille attribuer dans l'histoire des civilisations aux particules du virus ethnomystique. Ton ancien compagnon de jeu a la virtuosité d'un Paganini du terrorisme d'État lorsqu'il exécute sur son stradivarius les formidables partitions baschmakoffiennes qui servent à extraire dans la violence sacrale vaudou la racine cubique de l'identité des Nègres d'Amérique restés fidèles aux mânes légendaires des Afriques-mères !

— À ton avis la fin justifie toujours les moyens ?

— Je ne devrais pas étonner un grand garçon de la poésie : le pouvoir absolu sanctifie absolument les moyens. Qui veut la fin doit vouloir sans état d'âme les méthodes hémato-*balnéaires* à la Papa Doc. Telle est la « moelle substantifique » de l'intégrisme duvaliériste, la seule doctrine applicable aux malheurs de ce mini État-nation. Suis-je en train d'éclairer a giorno la lanterne du poète ?

— Heu, monsieur le président, heu, Doc Duvalier, pour mon humble part, je reste fidèle aux idées démocratiques que ma génération a défendues dans *La Ruche*, à la fin de la Seconde Guerre mondiale.

— Les idées neuves et fortes des jeunes gens de 1946, c'est moi ! La belle jeunesse libertaire des jours de *La Ruche*, c'est Papa Doc qui l'incarne aujourd'hui, et personne d'autre parmi les Gros-Nègres au pouvoir dans la Caraïbe. Le communisme international étant hors la loi en Haïti, Duvalier le Grand ne doit rien à tes amis de Moscou ou de Pékin. Abderrahman von Baschmakoff est la source historique de ma légitimité. Dans la realpolitik du siècle, ton stalinisme, importé d'une caverne du Caucase, est un moine défroqué de l'Église orthodoxe russe. Il est le fait totalitaire d'un Géorgien moustachu, un petit blanc-la-chaux-exotique dont le dogme n'a ici aucun avenir. Le génie tutélaire à l'autre Jojo, le

Français Joseph de Maistre, vient de nouveau à ma rescousse : « Il y a des insectes de proie, des oiseaux de proie, enfin des idéologies bimanes et bipèdes de proie. » Volcan en activité, la négritude de proie a été formulée sur mesure pour servir de couilles et de bandes fortes au terrorisme hémo-mystico-balnéaire de mes rêves ! Mon torrent de bonne lave ethnique est un papa-orgasme sacré. Il entend propulser dans la chatte-conette de la modernité les quanta d'une libido-synergie-cosmique foutrement civilisatrice !

— Permets-moi d'avoir du sort des Haïtiens une vue moins éruptive, moins porno, et moins aveuglément quantique…

— Prends garde, mon petit copain frondeur de Jacmel, vas-y molo dans ta parole. Ne fais pas monter imprudemment la température des gros seins-tétés du Grand Baron-Samedi[1] ! Ne chatouille pas inconsidérément l'érection à vie du papa des arts, des armes et des lois de ce canton noir de l'univers. Sous ma braguette, le Gros-Nègre prédateur a la férocité du requin bleu !

— Sous la mienne est tapie la tendresse d'un petit homme de bien.

— Ne t'avise pas d'opposer à mon programme de libération un soi-disant tendre souverain bien.

---

[1] *Baron-Samedi :* dieu vaudou, capitaine des cimetières, prince androgyne de la mort violente, sultan des massacres.

Dis-le à tes proches du Kremlin : chien enragé, Super-Zozo-Duvalier est le plus grand civilisateur du temps qui court. Ne fais pas mousser du sang de poète dans ses rigoles. Aide plutôt sa bande quantique à engrosser la civilisation ethno-duva-liériste intégrale !

Je restai tout chose, esprit et corps interdits. Le silence de la pièce était à couper à la scie électrique. Tout me parut plus confusément lugubre qu'à mon arrivée. J'avais en face de moi une offense vivante aux droits de l'homme et du citoyen. L'Homo Papadocus était là, les mains ouvertes à plat sur l'acajou noir de sa table de travail. À quelques centimètres de ses doigts écartés on pouvait découvrir le double symbole de son pouvoir : un colt 45 posé sur une bible et un poignard de para sur un exemplaire du Coran.

L'œil de Papa Doc était un piranha en action dans l'aquarium des lunettes en écaille. Après un instant d'indécision devant ma stupeur, le président prit soudain des intonations nasillardes de nounou pour atténuer l'effet des menaces qu'il venait de proférer.

— Je t'ai connu en pantalon court, dit-il. Tu jouais pieds nus au foot dans la poussière de la rue Eloy-Alfaro. J'ai honoré d'une bamboula créole les étincelles de ta première plaquette de poèmes. J'ai fait miens les feux d'artifice du temps de *La Ruche*. J'ai soigné comme un père le paludisme que tu as ramené d'une virée chez les maringouins de l'île de la Tortue. Tu as été mon partenaire chanceux au jeu de trois-sept. Le bruit court à Port-au-Prince que tu es maintenant un passereau musicien du nid d'amour. Grand verni devant l'Éternel, je te passe la casse, passe-moi le séné de la veine !

— ...

— Pas plus tard que dimanche dernier, reprit-il, mon cousin Dodophe Bankoli-Klodestier, en fin connaisseur de la chair sémite, m'a confié que madame Denizan serait de la tête aux pieds un scandale éblouissant de l'espèce. Très cher, que vas-tu faire pour assurer à son éclat un nonchaloir digne de ses origines judéo-magyares ? Tu n'aurais pas idée d'installer son chien fou d'Europe balkanique dans la malpropreté des bas quartiers de Port-au-Prince. Son Altesse, pour conduire son grand train de plaisir, aura besoin d'une villa meublée à l'anglaise, et fraîche toute l'année du Grand Abraham ! Pour se protéger de nos canicules, il faut à son chic de star la température de rêve des collines de Kenscoff ou de la Nouvelle Touraine. Elle serait ainsi en mesure d'interpréter sur son piano à queue de sirène des fugues, voire de romantiques sonates, lors des clairs de lune qui ont fait dans le monde la renommée des terroirs haïtiens.

Je répondis à son envolée que Dito Sorel et moi nous étions habitués à une vie frugale et studieuse. On comptait se consacrer à l'enseignement privé : ma compagne dominait huit langues vivantes ; de mon côté, j'étais prêt à enseigner les lettres françaises du vingtième siècle. Le dos tourné aux mondanités de Port-au-Prince, on allait vivre de peu de chose au soleil de nos milliers de livres.

Il partit d'un éclat de rire à tête renversée sur son siège à bascule.

— Mon cher petit mulâtre, l'exil t'aurait-il à ce point coupé de nos créolades ? Quel établissement privé prendrait aujourd'hui le risque qu'on assène l'empirio-criticisme de Lénine aux jeunes gens que lui confient les honorables commerçants de la capitale ? Et nos alliés de l'ambassade des États-Unis ? Crois-tu que la CIA les a recrutés en fonction de leur aptitude à se croiser les bras devant un danger de subversion rouge à quelques encablures des côtes de la Floride ? Seul un humanisme aux couilles de taureau-bœuf de combat peut donner du travail au couple que tu as formé avec la beauté polyglotte des Carpates. Dans un premier temps, avant de te nommer à la tête de notre mission à l'ONU, je prévois à tes talents d'ancien élève de Sciences Po un poste important au ministère des Relations extérieures. Je te vois d'ici en directeur de son département culturel. Que dis-tu de ma proposition ?

— Je tiens à rester fidèle aux principes de mes vingt ans, dis-je, laconiquement.

— Sous la protection de ton illustre ami, tout ira bien pour tes os en Haïti. Sans son feu vert noir...

Il éleva les bras au ciel. Les yeux fermés, il déplia in petto les beaux draps qui m'attendraient.

— De toute manière, dit-il, rien ne presse. Je te laisse volontiers quelques jours de sage réflexion. Un de ces soirs, tu viendras dîner au Palais avec l'arrière-petite-nièce à Dracula. Manman-Simone Duvalier sera ravie de recevoir le ménage Denizan. En attendant, j'ai une surprise pour toi.

Il pressa sur un bouton. Un haut gradé se présenta, suivi d'un garçon avec trois coupes de champagne sur un plateau. Je reconnus le général Antonio Th. Kébreau, le chef d'état-major des forces armées, l'homme des représailles contre le principal bidonville de Port-au-Prince. À son goût les gens de La Saline battaient trop froid la campagne du candidat Duvalier. Il y laissa un millier de morts, pour la plupart des femmes et des enfants abattus à l'arme blanche dans leur sommeil. Ce massacre devait ouvrir la voie au *hold-up électoral* du 22 septembre 1957.

L'exécuteur des hautes œuvres duvaliéristes, désinvolte et hilare, s'avança vers moi. Il me saisit avec effusion les deux mains.

— Soyez le bienvenu. Je suis content de vous revoir sain et sauf parmi nous.

— Ah! général Tonio, dit Duvalier, tu te souviens du poète-héros de la grève générale de janvier 1946? Ces journées-là, sur le tarmacadam de Port-au-Prince, ses hordes de jeunes gens donnèrent du fil à retordre à l'autorité d'un certain capitaine Kébreau… L'exil a rouillé son coupe-coupe de clerc anarchiste. L'auteur d'*Étincelles* rejoint aujourd'hui en Nègre libre les vaillantes cohortes du Front national vaudou du salut!

— Toutes mes félicitations, président! Il faut arroser l'événement.

— Une recrue de qualité, n'est-ce pas, général Tonio? Notre Dick national-duvaliériste laisse tomber le judéo-bolchévisme des Blancs. Il faut célébrer son retour au bercail natal!

CHAPITRE 3

Le camarade Kola

Le même lundi 22 mars 1958, je devais, en début de soirée, rencontrer dans un lieu secret de Port-au-Prince, le secrétaire général du Parti communiste haïtien. Après la conversation avec Papa Doc-Abderrahman, par crainte d'une filature de sa gestapo, j'ai essayé en vain d'annuler le rendez-vous. En y allant ne mettrais-je pas en danger un groupuscule qui faisait péniblement ses premiers pas dans la clandestinité ? N'avais-je pas plutôt le devoir de tenir au plus vite mes camarades au courant de mon entretien avec le dictateur ?

Après des détours astucieux dans l'obscurité des ruelles du Bas-Peu-de-Chose, je parvins, aux coups de huit heures, à l'adresse que m'avait confiée la veille le dentiste qui était mon agent de liaison. Un corridor en terre battue me conduisit, à l'aveuglette, au fond d'une cour, à une maisonnette en bois. La balustrade de sa galerie était assemblée de traviole, sans ordre aucun. Dans l'entrebâillement de la porte d'entrée un vieil homme m'attendait. Il me fit signe de le suivre. Accrochée au mur de la pièce, une petite lampe à kérosène éclairait faiblement, pour tout ameublement, trois chaises paillées et un lit de camp.

— Bonsoir camarade Koka, dit-il, souriant. Le camarade Kola ne va pas tarder.

À Paris, avant d'aller prendre un cargo à Rotterdam, on m'avait prévenu que je serais identifié en Haïti sous un nom de guerre. Il aurait le même son que les deux premières syllabes d'une boisson célèbre. Il serait toutefois orthographié en haïtien, c'est-à-dire avec des *k* au lieu de *c* : Koka. Dans un contexte de créolité sorcellaire, ce pourrait être le nom d'un grog-élixir. Il ferait vivre plus intensément, ou, à l'inverse, il zombifierait à jamais son chrétien vivant : magistère porteur de fol espoir de jouvence ou breuvage de zombification. Moins d'une minute après mon idée amusante, un *grimaud*[1] d'une trentaine d'années entra sur la pointe des pieds, par une porte dérobée.

— Salut, mister Koka, dit-il. Sa voix de gorge était aussi lugubrement apprêtée que son allure de sergent en civil de la gendarmerie haïtienne.

— Bonsoir camarade Kola, dis-je.

— Je ne suis pas le camarade Kola, dit-il. Il

---

[1] *Grimaud :* Haïtien à la peau claire et au cheveu abondant et crépu.

y a erreur sur la personne. Erreur sur toute la ligne du Parti, reprit-il, avec componction. Dans l'après-midi, la direction du Parti a appris de bonne source que tu as été, au Palais national, l'hôte du président Duvalier. À la nouvelle, notre Bureau politique a décidé de ne faire courir aucun risque à son premier dirigeant. À la place du camarade Kola, j'ai été désigné uniquement pour recueillir les éclaircissements que tu dois au Parti au sujet de la scandaleuse rencontre de ce matin.

— Allons, camarade, ne cherchons pas midi à quatorze heures.

— Pourquoi, depuis ton arrivée, as-tu caché au Parti tes liens avec l'adversaire numéro 1 des travailleurs de ce pays ?

— L'explication est simple : il y a une douzaine d'années, avant les événements de 1946 auxquels j'ai été mêlé, Doc Duvalier et moi, on était des voisins rapprochés. Tenez, on habitait alors à deux pas d'ici. On se tutoyait familièrement. On jouait assidûment aux cartes ensemble. Un soir de mes dix-huit ans une crise de malaria menaça de m'emporter. Doc Duvalier me fit admettre à l'Hôpital général, dans le service privé dont il était le médecin-chef. Un mois durant, il me confia aux doux oignons d'une infirmière de rêve. Gabriela devait guérir et mes globules rouges et ma crise de fin d'adolescence. Au bout de ce traitement doublement rédempteur, mon médecin ne voulut pas entendre parler d'honoraires. « La machine Singer de Popa, me dit Duvalier, a des chats plus impérieux à fouetter. » Comment cracher sur son élan de générosité ? Comment oublier ave maria l'ange Gabriela de la double guérison que le docteur Duvalier de 1946 envoya nuit après nuit à mon sang contaminé ? Mandé d'urgence à son palais de président, j'ai accepté en impromptu d'y aller en compagnie de quelqu'un que j'ai connu sur les bancs du lycée Pétion.

— Le scandale est là : tout Port-au-Prince t'a vu passer dans la Cadillac du tyran, aux côtés du sinistre Fonthus-Figaro. Tu es resté enfermé seul à seul avec notre ennemi de classe. Tu as sablé du Veuve Clicquot avec lui, en présence de l'assassin Kébreau. Ensuite le Rififo de malheur t'a raccompagné pompeusement à Bourdon. Le *télédyòl*[1] du jour a déjà fait de toi un flambant tonton macoute de la culture !

— À la table du diable, j'ai tenu la cuiller longue. En vérité, il n'y a pas de quoi s'affoler, camarade Kola, oh ! pardon, camarade comment déjà, à qui ai-je l'honneur ?

— Peu importe, mister Koka, tu peux, si ça te

---

[1] *Télédyòl :* du grec *têle*, « à distance » et de l'haïtien *dyòl*, « gueule ». Il s'agit donc d'un média de bouche à oreille. Sur un mode hallucinatoire, il sert de support oral au surplace existentiel où tourne sur elle-même la « tragédie sans fin » des Haïtiens.

chante, m'appeler camarade Baron-Samedi, pour ne pas déplaire à tes puissants amis.

— Va pour camarade Baron-Samedi! Tu le sais mieux que moi : le *télédyòl* est le seul service de communication qui fonctionne chez nous. Notre tiers d'île est mégalo à lier. Chacun est exposé à sa force d'affabulation médisante. Je n'échappe pas au lot général. Ceci dit, ce soir, des choses bien réelles plaident en faveur de mon intégrité. Primo : j'ai écarté, sans équivoque aucune, les offres de récupération de nos adversaires. Secundo : j'apporte au Parti un témoignage de première main sur un führer noir qui incarne d'ores et déjà le mal radical. Je l'ai entendu proférer des menaces de zombification de la vie en Haïti. Le Doc Duvalier a changé le caducée pour la croix gammée!

— Tout à fait faux comme point de vue. Duvalier est un minable homoncule de paille. Son national-duvaliérisme est un bla-bla-bla sans queue ni tête. Son pannoirisme intégriste ne fera pas long feu. Les jours de ton Hitler Abderrahman de poche sont, en effet, comptés. Le véritable danger n'est pas ce khalife de *bande-rara*[1]. Il faut craindre son bras droit armé, le gendarme-boucher de La Saline, le général Kébreau. Son coup d'État est imminent.

---

[1] *Bande-rara :* groupe de carnaval rural très populaire en Haïti.

— Ce n'est pas l'impression que m'a laissée la connivence des deux compères. Le Parti se repentira un jour d'avoir sous-estimé le calvaire que Papa Doc nous prépare.

— Aurais-tu le culot de donner des leçons de stratégie aux guides éclairés du Parti ? Commence plutôt par te disculper de l'accusation d'intelligence avec l'ennemi de classe. Tu es discrédité aux yeux du prolétariat national et international. Avant de te confier la moindre tâche de dirigeant, notre commission de contrôle attend de toi une bio circonstanciée.

— Une quoi, camarade Kola ?

— Un rapport bio-gra-phique détaillé. Raconte au Parti comment ta bosse a roulé chez les Gros-Blancs de la guerre froide ! Pour ce soir, mister Koka, ce sera tout !

À ces mots, sans me dire au revoir, l'homme Baron-Samedi du Kominform s'esquiva dans le faire-noir anthropophage de Port-au-Prince.

Dans la livraison du 15 au 31 décembre 1957 (n° 2, vol. 1) de la gazette *Coumbite*, Dianira Fontoriol, connue aussi sous le nom de Popa Singer von Hofmannsthal, pour l'accueil à son fils Dick, a saisi le plumier et l'encre violette des écritures d'autrefois :

heureuse dans nos mornes la bonne nouvelle de tes pieds sur le pas de ma porte, heureux tes pieds-devant de messager né coiffé, heureux à Bourdon ton avant-jour au sang chaud dans le temps et l'espace en flammes de Dito, ton blanc trésor de femme-jardin, heureuses la chagatte et la flûte en état de faire le grand soleil libertaire de l'orgasme sous le toit d'une mère doublement comblée à la fête solaire d'un retour à Port-au-Prince

mon fils tu nous as manqué : pour toi, au loin parler de Popa Singer c'était parler de ton tiers d'île perdue : dans la parole envoyée des ailleurs tes racines de banian poussaient bien sur l'échiquier de la guerre froide porteuse du 29 août de tes trente ans miserere mei Deus où sont passés tes vingt et un ans dans la nuit blanche

je n'ai pas connu tes temps frondeurs et sportifs, ni tes années libertines et studieuses grâce à la miséricorde de la Cité internationale universitaire de Paris. Tu n'auras pas eu à tes côtés la tendresse d'une Popa Singer pour te protéger des tempêtes de neige et des automnes aux rafales glacées, et des trottoirs gris loup-garou où l'incivilité féline des « Blancs », m'a-t-on dit, tend parfois des pièges à panthères aux étudiants d'une prétendue « race noire »

au loin, chez les sorciers d'une soi-disant « race blanche », tu as sauté dans le train en marche des années d'apprentissage de la vie en société : où sont passés tes vingt-cinq ans précocement consternés à Prague et à Moscou devant le naufrage annoncé des utopies de ta belle jeunesse qu'on m'a volée ; au temps de tes jours à l'abri d'un rideau de fer où l'ADN même d'un vivre-ensemble fraternel s'est égaillé en fumées toxiques

tu auras eu un mal du diable à trouver une carcasse en bambou, du papier et du vent pour lancer dans l'azur des humanités le parler de l'enfant au bout de ses larmes qui s'émerveille de

réapprendre la tendresse et la grande santé du rire
aux éclats. Longtemps à l'avance, il faut préparer
le cerf-volant du vieil âge d'homme : n'ayant pas
de retour en arrière possible, il devra monter sans
se perdre dans les nues. Dans ce saut sans filet, tu
n'auras pas le droit de manquer ton coup, à force
d'embrasement de l'être, jusqu'au point-zénith
où l'été indien de ta création changera le vieux
chaos haïtien du soir en cinéma du petit matin,
dans l'ensoleillement à la française des songes
et des histoires tragiquement vraies de toute la vie

DEUXIÈME MOUVEMENT

CHAPITRE 4

L'Utopie à la Popa Singer von Hofmannsthal

Rentré à la maison de Bourdon, je ne rapportai ni à ma mère ni à ma compagne Dito la substance des conversations soutenues, le matin, à l'extrême droite, avec l'homme Baron-Samedi du pouvoir noir; dans la soirée, à l'extrême gauche, avec l'homme Baron-Samedi rouge de la révolution d'Octobre. Plus de quarante ans après, en y pensant, je baisse encore la tête de honte et d'indignation. Ces jours-là Dito portait sa propre croix intime: loin d'Israël et des siens, elle était prise au piège d'un régime qui était l'inverse de l'État hébreu du Moyen-Orient. Il fallait laisser à sa sensibilité le temps de s'habituer aux *haï-tiâneries* de sa terre d'adoption.

Le dimanche 28 mars 1958, au déjeuner qui regroupa la famille autour de notre mère Popa, je restai également évasif. Mes frères et sœurs, ainsi que mes deux beaux-frères, sollicitèrent en vain de moi les clefs pour le décodage du *télédyòl* qui, dans la journée du lundi 22, avait couru dans

Port-au-Prince, sur ma conduite de citoyen.

— Dans ce fatras de fables, dis-je, il y a à manger et à boire. Le diable et le bon Dieu n'y trouveraient pas leur compte. Une chose est sûre : après mon entretien avec le président, il est exclu que je me rallie, comme c'était son souhait, à son Front national vaudou du salut.

Pour ce qui était des événements qui avaient précédé notre retour au pays, on occupait, Dito et moi, les premières loges. Nos proches se chamaillaient sans discontinuer autour des faits les plus minuscules des mois précédents. L'ensemble des péripéties du *hold-up électoral* de 1957 de Papa Doc, réussi grâce à l'appui du général Kébreau, composait un puzzle qu'ils n'arrêtaient pas de rassembler. Régis, mon plus jeune frère, un avocat de vingt-huit ans, était un des conseillers du candidat Marc-Antoine Grandet. Il tenait cet ancien ministre des Finances pour un démocrate sincère et avisé. Rachid Ben Estefano, l'époux de ma sœur Rita, était un commerçant de souche proche-orientale. Il ne jurait que par l'ex-sénateur Louis Delajoie, un industriel réputé pour son dandysme libéral en béton armé. Didier Jeannotin, le mari de ma sœur Lucie, prof de grec au lycée Louverture, s'avouait « un duvaliériste pur sucre roux de la première heure ». Guy-Luc, mon frère cadet, était avant tout un adepte inspiré de la propolis et de la gelée royale. Son prophétisme d'apiculteur l'aurait incliné à voter pour Daniel Fignotardif si la candidature de ce leader écolo, populiste avant la lettre, n'avait pas été invalidée au dernier moment. Popa, quant à elle, avait failli perdre son latin de médium dans le méli-mélo des passions partisanes sous son toit.

— Mes pénates, se plaignait-elle, frôlent sans cesse l'implosion.

Depuis des mois, pour l'éviter, tantôt elle se barricadait dans un rôle d'arbitre, tantôt elle aiguillait sa progéniture vers quelque chimère énigmatique qui faisait diversion aux disputes.

— Si je devais pour ma part proposer un programme politique aux citoyens, interrogea-t-elle ce dimanche-là, devinez quelle serait ma tendance ?

— Tu serais, dit Rita, une démocrate chrétienne de choc.

— Avoue, Rita, que tu connais mal ta maman.

— Fidèle à ton dada de plusieurs fers au feu, fit Lucie, tu serais à la fois au service du Christ et des dieux du vaudou.

— En matière de foi, tu as peut-être raison, Cici. Dans l'arène civique, ce n'est pas du tout pareil.

Mon bédouin de beau-frère jeta dans mon jardin une poignée de sable du désert d'Arabie.

— Contrairement à Dick, dit-il, tu ne serais

pas indifférente à la Parole du Prophète. Favorable à son Coran, ta force de clémence et de miséricorde serait en harmonie avec les foudres d'un chef de guerre sainte. Je te vois bien prendre la tête d'un djihad du tonnerre pour arrêter net la course à l'abîme des Haïtiens !

— Tu te trompes, Rachid, et dans les grandes largeurs ! J'ai les dogmes exterminateurs en horreur. Le fanatisme intégriste ne sera jamais ma tasse de thé au gingembre. Donnez-vous la langue au chat ?

— Oui-î-î-î, s'écria la maisonnée aux anges.

— En vérité, les enfants, je ne serais ni papadocquiste, ni bolchevique, ni djihadiste va-t-enguerre à la solde de quelque divinité barbare. La politique serait pour moi l'art de mettre chaque sujet de l'espèce en accord fraternel avec les tremblements de la vie. N'ayant moi-même que l'humble capacité de résistance d'une machine à coudre Singer, je serais une démosingériste à tous crins...

Guy-Luc céda à l'envie de jouer sur l'homophonie des mots.

— Tu serais payée, dit-il, en monnaie de *singe*, comme n'importe quelle autre victime des partis politiques.

— Voyons, Guy-Luc, dans *le singérisme démocratique à la Popa*, les citoyens, avant tout état d'esprit partisan, se sentiraient à la folie les frères d'un même panhumanisme. Le seul fait d'exister les émerveillerait jusqu'à l'extase. ABC de l'émerveillement, la vie en société les tiendrait dans la bonne et chaude proximité du prochain. Avant toute idée de civisme, tout choix idéologique ou religieux, le fait de vivre ensemble sur la terre-patrie aurait d'emblée partie liée avec les choses innocentes comme avec les aspirations les plus élaborées : les vols de papillons/les grands envols planés du cœur humain ; le cours paisible d'une rivière au soleil/la houle de l'esprit de fraternité en campagne ; l'écoulement sanguin périodique de la femme/le silence en mission dans le bruit de la mer…

— Bravo ! s'écria Rachid, mam Popa est aussi poète que son fils aîné !

— Il y a, continua notre mère, bien d'autres phénomènes aussi simples que bonjour. Ils nous font percevoir, dans le même éclair de vérité, la joie et la souffrance, la vie et la mort, le temps et l'éternité. L'ivresse du vivre-ensemble dans ce tiers d'île nous est assurée gratis pro Deo s'il vous plaît : un manguier criblé de fleurs au matin, la plainte d'une tourterelle au crépuscule, un couple de colibris au repos dans leur nid face au mystère du clair de lune, un cheval enchanté de sa botte d'herbe du midi, le petit garçon qui s'imagine qu'on a seulement besoin de lancer un cerf-volant au ciel d'autrui pour effacer les ignominies qui sont faites partout à l'idée de fraternité entre les membres des diverses humanités de la planète.

— Hosannah! fit Dito, mam Popa est bien meilleure poète que son Richard de fils!

— Vas-y, dit Guy-Luc, parle-nous encore de ton utopie.

— Mon idée de la *civilité singériste* aiderait les gens, même implacablement vaincus, comme c'est notre cas aujourd'hui, à défier les vieilles haines mystiques et les missiles de la barbarie. L'art d'être ensemble dans la *panhumanité* aurait le même attrait solaire que, je ne sais pas moi, l'odeur et la saveur du pain chaud, le goût des mets et des boissons que nous partageons avec le bon Dieu de ce dimanche de paix. Devant la rage d'iniquité des maîtres du monde, vaincre le grand mécanisme denté de l'Histoire, c'est être capable de réunir librement, à la même table familiale, une belle-fille juive et un gendre palestinien, qui s'accordent pour célébrer la poésie d'une mère haïtienne au nom à tiroir de Popa Singer von Hofmannsthal. Mon utopie, si tu veux, Guy-Luc, serait de prendre à la vie démocratique la propolis de sa tendresse et de sa beauté pour renouveler dans la ruche des humanités miserere mei Deus! les valeurs et les sens en lambeaux de notre merveilleux ici-bas.

— Louée soit l'utopie à la Popa Singer! Tout le pouvoir aux mains de la von Hofmannsthal!

dis-je, au milieu des éclats de rire et des vivats de la tablée dominicale.

Ce midi-là de fin mars 1958, mam Popa réussit à nous tenir éloignés des querelles qui d'habitude nous laissaient un goût de cendre froide dans la bouche.

CHAPITRE 5

Conte de fées dans l'écurie d'Augias

Moins d'une semaine plus tard, la nuit du 7 au 8 avril 1958, on était allés au lit de bonne heure. Après une journée suffocante, l'alizé du golfe de la Gonâve avait poussé une cataracte de pluie fraîche dans le ciel de Port-au-Prince. Son tempo nous avait assuré un premier sommeil ruisselant de rêves placides. Il fut brutalement interrompu par un raffut de cauchemar : on frappait à les rompre à la fois aux portes et aux fenêtres de la maison.

— Ouvrez ! police, au nom de la loi, ouvrez foutre !

On se regroupa au salon pour faire face à la descente des tontons macoutes. Je m'avançai vers la porte d'entrée. Ma mère m'écarta d'autorité.

— Laisse-moi accueillir les barbares, dit-elle.

Une bourrade ne tarda pas à la précipiter dans nos cordes. Une douzaine d'hommes, certains en civil – chapeaux mous, lunettes noires – d'autres en kaki de la gendarmerie, l'écume aux lèvres, s'engouffrèrent sous notre toit.

— Messieurs-dames-de-la-société-mulâtre, haut les mains foutre-tonnerre! Les VSN[1] sont arrivés!

Comme on vient au monde pour être footballeurs ou joueurs de rugby, miliciens et gendarmes des forces armées semblaient, des pieds à la tête, avoir été créés pour la besogne de violence nocturne qu'ils exécutaient.

Leur présence dans la maison dégageait des effluves d'énergie sauvage. Leur air bravache et agressif était en conformité avec leur musculature de mauvais aloi. Les diverses armes qu'ils portaient (colt, fusil, mitraillette, machette, coupe-coupe, hache, cisailles de tôlier) paraissaient d'autres muscles surentraînés de la force vitale dont ils disposaient pour nuire tous azimuts à autrui.

Le capitaine qui les commandait me prit aussitôt à partie.

— Vous et la madame blanche, vous étiez invités à bouffer au Palais, le Chef spirituel et manman-Simone vous ont attendus en vain toute la soirée. À nos yeux il s'agit d'un casus belli.

— Mon fils connaît les usages, capitaine, dit

---

[1] *VSN :* volontaires de la sécurité nationale, appellation officielle des agents de la police politique de Papa Doc, plus connus sous le nom folklorique de *tontons macoutes*, équivalent créole de pères fouettards, croquemitaines, au comportement criminel de SS nazis des tropiques.

Popa. Il y a deux jours, il s'est fait excuser poliment de ne pouvoir répondre à la flatteuse invitation du couple présidentiel.

— Madame, dit l'officier, votre parole c'est du zéro barré comme ça. Laissez parler votre comploteur de fils, et tenez foutre les pattes en l'air!

— Ces temps-ci, dis-je, ma femme doit garder la chambre. Elle n'est pas très bien. On ne pouvait donc sortir en ville. J'ai eu avant-hier le chef du protocole au téléphone. Il m'avait promis formellement de transmettre nos regrets au président et à la première dame de la République.

— Nous ne serions pas si décidés dans l'opération de police de cette nuit s'il s'agissait seulement d'un manquement à l'étiquette du Palais. Votre conduite, en général, porte gravement atteinte à la sûreté de l'État. On a l'ordre de jeter un coup d'œil sur vos fréquentations secrètes. Où sont vos livres?

— Où est foutre-sang-tonnerre l'écurie d'Augias? renchérit le chef en civil des miliciens.

— D'abord, capitaine, dis-je, montrez-moi votre mandat de perquisition.

À ma question, l'homme en kaki prit à témoin ses compagnons de l'escouade.

— Regardez ça, mes amis: on est tout à fait corrects avec le citoyen. Il a encore ses trente-deux dents et sa paire de fruits de la passion. En guise de reconnaissance, il nous lance à la figure les gros mots appris chez les mauvais coucheurs blancs de la Sorbonne. Monsieur le sorbonnard ose exiger un putain de mandat de perquisition !

— Où est foutre la porcherie d'Augias ? Où sont les gros cochons de bouquins de merde ? intervint de nouveau le chef macoute, en dégainant son colt 45.

— Dans la bibliothèque de mon fils, dit Popa, il n'y a que des contes de fées. (Une semaine auparavant, alertée par la grave affaire Kima-Rimini[1], sa prévoyance nous avait conseillé de confier à une vieille tante de Jacmel des centaines d'ouvrages qui risquaient de passer pour « subversifs ».)

— Madame, dit le chef macoute, en approchant son arme de la nuque de ma mère, oui ou non, allez-vous fermer votre *dyòl* de mardi gras ?

— Vous ne me faites pas peur, vous savez, dit Popa. Éloignez votre satan de pistolet... (Notre mère a confirmé le lendemain qu'elle allait souffleter l'agresseur.)

— Veuillez me suivre, dis-je à temps, pour éviter un massacre.

Notre chambre à coucher était tapissée de bou-

---

[1] Affaire Kima-Rimini : une nuit de mi-février 1958, des individus masqués envahirent le domicile d'Yvonne Kima-Rimini, rédactrice à *Haïti-Miroir*, un journal important de l'opposition. Mère divorcée, madame Kima-Rimini, et ses deux filles (Mona, dix-huit ans ; Lisa, seize ans) furent enlevées et conduites sur une piste peu fréquentée de la commune de Frères, où elles ont été sauvagement violées et assassinées.

quins, du sol au plafond.

— Ohyoyoye! s'exclamèrent en chœur les assaillants.

Ils se trouvaient en possession de plus de pièces à conviction qu'il n'était nécessaire pour étayer l'accusation « d'atteinte flagrante à la sécurité d'État ».

La battue aux ouvrages « suspects » devait durer jusqu'aux premières lueurs de l'avant-jour. Popa en chemise de nuit, Dito en robe de chambre, Guy-Luc et moi en pyjama, notre frère Régis en caleçon, nous étions empilés au fond de la pièce, les bras levés, sous la menace des colt 45, fusils Springfield, mitraillettes Thompson, sans parler des armes blanches. Debout, ou montés sur des chaises, les hommes aidaient le capitaine et le chef macoute à l'inspection des titres de la bibliothèque.

Un caporal, après avoir examiné avec répugnance un exemplaire de Stendhal, relié plein cuir, dit à haute voix :

— *Le Rouge et le Noir?* mon capitaine.

— De la substance explosive, caporal Milord, à embarquer !

— *La Guerre et la Paix?* mon capitaine.

— Encore un bâton de dynamite, sergent Grandgosier.

— *Le Zéro et l'Infini?* mon capitaine.

— Un abrégé de mathématiques générales.

Zéro pour la question, cancre de milicien !

— *Le cœur est un chasseur solitaire ?* mon capitaine.

— Tout cœur armé d'un fusil de chasse tombe ipso facto sous le coup de la loi. À embarquer foutre-tonnerre !

— *Le Petit Chaperon rouge ?* mon capitaine.

— Un agitateur qui affiche des idées bolcheviques à son chapeau de paille. Au panier à salade !

— *Le Petit Prince ?* mon capitaine.

— Un mauvais sujet qui, dès le berceau, commence à conspirer, dit le chef milicien, à la place du capitaine.

— *L'Adieu aux armes ?* mon capitaine.

— Délit de port illégal d'armes de guerre. Avant l'adieu il y a eu un bonjour aux armes ! À embarquer !

— *Le Revolver à cheveux blancs ?* mon capitaine.

— Un browning déguisé en vieillard reste un pistolet automatique !

— *Les Armes miraculeuses ?* mon capitaine.

— Autre pièce à conviction à saisir ! On a affaire à un trafic d'armes !

— *Pablo Picasso ?* mon capitaine.

— Nom de Dieu de putain de *pic à casser les os.* Embarquez-moi ça, les yeux fermés !

Deux heures durant, on écouta la litanie burlesque des « fils de putes d'ouvrages de guerre sainte », qu'il fallait « mettre hors d'état de nuire ». Dans des circonstances moins lugubres, à chaque coup on eût tous pouffé de rire. Seule Popa prit le risque, à propos du peintre espagnol, d'exprimer tout haut son sentiment.

— L'arme blanche de cet homme est un pinceau, dit-elle. Pablo Picasso est le plus grand artiste du siècle. En *l'embarquant*, capitaine, vous profanez la beauté du monde !

— Paix foutre à votre calebasse-grand-*dyòl ;* madan-loup-garou ! dit le chef milicien. Un nom de baptême comme ça ne peut être qu'une menace blanche pour le saint ordre duvaliérien ! À bas le zozo-pic à don Pablo !

La mission accomplie, le capitaine compta la centaine de romans, contes, essais, recueils de poésie, dictionnaires, grammaires, biographies de gens célèbres, qui finiraient leurs jours dans un autodafé de livres. Il en fit plusieurs lots qu'il répartit entre ses hommes. Il nous gratifia ensuite d'une mise en garde sans miséricorde.

— Le nettoyage d'écurie de cette nuit était un avertissement indulgent du Grand Électrificateur-Chef-spirituel à l'ingratitude d'un faux ami. Si on devait rappliquer, vous n'aurez plus affaire à un officier d'académie qui a fréquenté West Point. Il vous a plutôt ménagés. La prochaine fois, vous serez à la merci de ce fringant agrégat de muscles en civil, dit-il, montrant du doigt les tontons macoutes.

— Mes garçons, dit le chef milicien, ne parlent pas français. Ils n'ont pas été à la Sorbonne. Ils vous feront écouter le créole du feu !

Le capitaine descendait le perron de la villa quand il se retourna brusquement vers moi.

— J'allais oublier de vous le dire, maître Augias, le chef de la police, le colonel Marcel Marcellus, vous attend cet après-midi à notre quartier général du Champ-de-Mars, à quatre heures précises, pour un complément de l'enquête judiciaire en cours.

CHAPITRE 6

La mort coupée sur mesure

Devinez qui, cet après-midi-là, était de garde au bureau d'accueil du quartier général de la police? Mon cousin, le premier lieutenant Leslie Fontoriol, le plus jeune des quinze enfants de mon oncle Hans. L'aînée des filles, Célina, fut l'ange de mon adolescence. De 1937 à 1940, alors que la mort du père saignait en moi, Lili incarna la consolation des vacances heureuses dans les collines qui dégringolent dans l'écume au bord du golfe de Jacmel. Après tant d'années loin de ses yeux verts, c'était de bon augure d'être accueilli dans un pareil endroit par l'un de ses frères.

— Je suis au courant de tes ennuis, cher Dick, fit mon cousin, d'une voix inaudible. Le colonel Marcellus t'attend. C'est un chic type, tu sais, à condition de ne pas avoir à ses côtés un chef de la milice. Comme nous tous de la gendarmerie, il a ce corps franc en horreur. Mais devant le moins gradé de ses membres, il se montre plus soumis qu'un gendarme de deuxième classe. S'il est seul à te recevoir, tout se passera bien. Chaperonné par une autorité macoute, il jouera à fond les casseurs de poète. Je t'accompagne jusqu'à son étage.

— Donne-moi des nouvelles de Lili, dis-je, tandis qu'on montait les marches. J'ai une envie folle de revoir mon oncle Hans, tante Frida, Lili, ave maria! Après les bains de mer des après-midi de rêve, on allait toute la bande se rafraîchir sous les cascades d'un torrent. Lili et moi, on était toujours les derniers à rentrer à bout de souffle au logis.

— Lili attend son cinquième enfant. Elle en fera peut-être dix autres comme notre mère. À Jacmel, ma sœur n'arrête pas de parler de toi : elle associe toujours la légende des vacances de Meyer à une mystérieuse « troisième rive de la rivière »...

On était arrivés à la porte du colonel Marcellus. Leslie y porta un coup discret.

— Entrez! fit une voix de commandement.

Je précédai mon cousin. Le colonel n'était pas seul. À sa droite trônait un civil entre deux âges. Il portait beau dans un complet bleu marine très seyant, sans doute de coupe britannique. Il ne daigna pas se lever comme le fit courtoisement le colonel pour saluer mon arrivée.

Leslie se mit au garde-à-vous, claquement de talons compris.

— Monsieur Richard Denizan, mon colonel, l'écrivain que vous avez convoqué.

— Merci, lieutenant, rompez !

Au moment de sa volte-face je captai un éclat de détresse dans le regard gris-vert de Leslie. La sensitive, incorrigible en moi, le changea aussitôt en un reflet du temps merveilleux de Lili.

— Prenez place, dit le colonel, en me désignant un fauteuil en acajou. Son Excellence Clovis Barbotog, commandant des VSN, tenait à participer à la conversation que je souhaitais avoir avec vous après ce qui s'est passé la nuit dernière à votre domicile de Bourdon.

— Alors, mon camarade, attaqua incontinent Barbotog, on a le toupet de répondre par un outrage à la générosité proverbiale du Grand Électrificateur des reins et des âmes de la République ? À l'honneur d'un dîner à la table du glorieux couple présidentiel de sa patrie, on préfère conspirer avec des auteurs blancs étrangers ?

— …

— Les preuves accablantes du complot contre la sûreté de l'État sont là, dit-il, pivotant vers la table annexe où était empilé le butin d'ouvrages emportés de chez moi quelques heures plus tôt.

— Voyons, monsieur Barbotog…

— Dites Excellence, s'il vous plaît, coupa le colonel.

— Votre Excellence, repris-je, croit-elle sincèrement que Li T'ai-Po, Shakespeare, Mozart, Saadi, Omar Khayyam, Flaubert, Tolstoï, Ibsen, Selma Lagerlöf, Pirandello, Carson McCullers, Joyce, Borges, Pavese, Neruda, Pablo Picasso donneraient des leçons de conspiration à un humble poète d'Haïti ?

— Ceux-là ont peut-être mieux à faire. Mais, dans votre bibliothèque, qui mettrait les mains au feu pour tous les Gros-Blancs dégueulasses qui jour et nuit vous tiennent compagnie ? dit-il, en jetant un coup d'œil de suspicion sur les bouquins.

Après une brève hésitation, il se leva et saisit au hasard un livre de la pile.

— J'ai mis dans le mille ! *Le cœur est un chasseur solitaire*. J'ignore ce que peut bien raconter la dame McCullers. D'une chose je suis sûr, et le colonel Marcellus autant que moi : il ne s'agit pas de chasse aux papillons. Chasseur en colère, vous l'étiez à dix-neuf ans. Vous avez alors jeté le bordel de la grève générale dans les rues de Port-au-Prince. Votre feuille de chou *La Ruche* devait, en janvier 1946, exciter les jeunes générations à l'émeute anarchiste qui renversa le président Élie Lescot. Solitaire ? ne l'êtes-vous pas, douze ans après un long vagabondage chez les Blancs ? On ne vous voit nulle part en ville. Tous les services spéciaux le savent : le bolchevisme prépare ses mauvais coups dans l'ombre.

Les lieux sombres et humides sont propices à son labeur de sapement rouge.

— À entendre votre Excellence, on aurait plutôt envie de crier : Cloportes de tous les pays, unissez-vous ! (Je regrettai aussitôt la remarque.)

— *Exactly*, petit camarade des cerises génitoires à tonton Marx, vous appartenez à l'espèce des insectes orthoptères nocturnes : cloportes, cafards, blattes, cancrelats, cockroachs et autres dégoûtants *ravets* du cru, pêle-mêle des *kafirs*[1] d'une extrême gauche de malheur qu'il faut aplatir à coups de talon, comme ça ! dit-il, frappant le sol du pied gauche.

— Monsieur Denizan, intervint suavement le colonel, une chose préoccupe par-dessus tout nos services : qu'allez-vous faire, vous et madame Denizan, pour vivre décemment en Haïti ?

— Félicitations, colonel, dit Barbotog, très bonne question, *very important, of course*, insista-t-il, le regard droitement planté dans mes yeux. Mis à part l'amour et l'eau de pluie tropicale, comment pensez-vous gagner le blanc standing qui sied au sex-appeal judéo-chrétien à miss Denizan ?

— Ma compagne et moi nous avons enseigné des langues vivantes à São Paulo et à Rio de Janeiro. Pourquoi ne le ferait-on pas dans notre pays ?

---

[1] *Kafir :* mot arabe signifiant mécréant, infidèle, renégat.

— Aux oubliettes, foutre-sang-tonnerre! l'enseignement pratiqué au Brésil. À ce sujet le président vous a déjà mis en garde. Le colonel Marcellus et moi, à l'instar du Chef spirituel, nous sommes sans pitié quand il s'agit de protéger du virus marxiste la gent juvénile de la révolution.

— Nous avons aussi une expérience de la presse. Nous l'avons acquise à Paris et en Amérique du Sud. Dans les journaux d'ici, on compte publier des chroniques sur les arts plastiques, les lettres modernes, l'histoire de la musique et du cinéma.

— Colonel Marcellus, faites-moi une croix de Baron-Samedi sur ces projets de chroniques pseudo-artistiques de madame Denizan et de son agitateur de mari. Ces deux-là ne sont plus journalistes ; un point foutre-sang-tonnerre! c'est tout. L'opinion est à la merci de nos censures, n'est-ce pas, mon colonel ?

— Bien sûr, Excellence, jour et nuit nous avons dans le collimateur, outre la radio, la presse écrite, le *télédyòl*, les *tripotages*[1] politiques et domestiques, l'ensemble de l'information parlée de bouche à oreille. Après l'échotière Kima-Rimini, il reste à mater le quarteron des *tripotes* de la plume qui bombent encore le torse dans

---

[1] *Tripotage* : ce média prend le relais du *télédyòl* au carnaval privé des gens. Ses *on-dit* donnent lieu à un embrouillement onirico-picaresque de la vie quotidienne.

les colonnes de *Haïti-Miroir*, *Le Patriote*, *Coumbite*, *Le Petit Matin du vendredi*...

— Qu'attendent nos garçons VSN pour rabattre le caquet à ces docteurs en putain de langue à monsieur François Mauriac ?

— Si on nous ferme au nez toutes les portes, dis-je, on repartira. L'exil est parfois un bon métier.

— La moitié judéo-française est libre de regagner Paris ou Jérusalem. À sa place je le ferais sans délai. Il y va de l'avenir de ses charmes. À ce qu'on dit à Port-au-Prince ils font honneur à l'espèce. Quant à vous, ti-mulâtre-ti-zoreilles de Jacmel, vous voici pris au piège du pays natal. Vous aurez besoin d'un visa de sortie sur votre passeport haïtien. Après le casus belli flagrant de la nuit dernière, êtes-vous sûr de les obtenir ?

— ...

— Il reste peut-être, dit le colonel, un ultime recours : une lettre d'amitié, très personnelle, au président. Votre plume saura tourner des paroles de repentance. Le docteur Duvalier n'est pas homme à laisser descendre en flammes un ami qui se repent en belle et due forme. N'est-ce pas, Excellence ?

— En effet, à mi-chemin entre la roche Tarpéienne et le Capitole, on peut encore renverser la vapeur du destin. Non loin d'ici, au temple de Jupiter, la baraka duvaliériste peut encore chouchouter les deux orphelines tapies dans votre slip. Elle peut même changer leur torpeur en joyeuses clochettes de la Vierge Marie ! À cette fin, je vous prends dans ma voiture. On fait la surprise à Doc Duvalier. J'imagine le plaisir du Chef spirituel à passer l'éponge sur vos louches fréquentations. (Clin d'œil courroucé sur le roman de Carson McCullers, qu'il tenait toujours à portée de la main.) Mon cher poète-enfant-terrible-de-sa-génération, on y va ?

— Je n'ai pas un mot à ajouter à la conversation que j'ai eue le mois dernier avec son Excellence le président de la République.

— Vous êtes témoin, mon colonel, on aura tout fait pour sortir la bestiole léniniste de ses ténèbres d'arthropode. Les cloportes ont la flamme du martyre dans le sang. Mais, à vous, Denizan Richard, cette aura finale sera refusée. Doc Duvalier et moi, on a déjà pensé à tout. On mitonne de chouettes opérations *requiem aeternam dona eis*[1] contre les trublions de la tribu mulâtre. Rentrez chez vous à Bourdon. Méfiez-vous désormais des soirs de pleine lune. Ne quittez pas la capitale sans une autorisation spéciale de la police. Le colonel Marcellus ne sera pas très chaud à vous l'accorder.

---

[1] *Requiem aeternam dona eis* : «Donnez-leur le repos éternel», premiers mots en latin du chant pour les morts dans la liturgie catholique.

— Pour ça, comptez sur moi, Excellence.

— Dans les sociétés de droit, dis-je, il s'agirait d'une mise en résidence surveillée. Une pareille contrainte, dans tout pays libre et civilisé, requiert préalablement une décision démocratique de justice. (Une forte pulsion suicidaire me chamboulait les tripes.)

À ces mots, Barbotog, littéralement fou de rage, se leva et vint planter au-dessus de mon fauteuil son gabarit de SS des tropiques.

— État de droit ! Décision démocratique de justice ! Pays libre et civilisé ! voici où je baptise la blanche trinité occidentale : au nom du Père, du Fils et du Saint-Esprit ! hurla-t-il en empoignant des deux mains, et en le secouant, tout le devant de son pantalon. Récemment, ajouta-t-il, la gazette Yvonne Kima-Rimini et ses garces de filles s'y sont frottées avec la goinfrerie propre aux cons des mulâtresses de Pétionville. Vous avez une mère, des sœurs, des cousines, et surtout un bijou israélite de l'espèce pour épouse, leur tour viendra d'entendre au fond du cul foutre-sang-tonnerre ! le cocorico-bonjour des *papas-coqs-guédés*[1] de la révolution duvaliériste !

— Denizan est un cas perdu, Excellence, dit le colonel, d'un air faussement découragé.

---

[1] *Papas-coqs-guédés :* esprits, mystères, dieux de la Mort et de la copulation dans le vaudou. Ils incarnent à la fois Thanatos et Éros.

Laissez-moi l'accompagner. Pour sa gouverne, j'aurais encore deux ou trois petites choses à ajouter.

— C'est bien, colonel Marcellus, ôtez son cadavre-corps de ma vue. J'ai la nausée devant tout homme qui porte sans le savoir son petit cercueil sous le bras !

En compagnie du colonel, je franchis lentement l'inverse du trajet parcouru à la hâte avec le lieutenant Fontoriol. Aussitôt dans l'escalier, le chef de la police me chuchota à l'oreille :

— Veuillez m'excuser, monsieur Denizan. Ce n'est pas du tout ma façon de procéder avec un citoyen de qualité, le major Pol Morris-Leroy, poète surréaliste de talent, est mon beau-frère. Il m'a fait lire deux de vos livres. Je les ai aimés. Vos jours, vous l'aurez compris, tiennent à un fil. Itou ceux de madame Denizan. Votre frère Régis et votre beau-frère palestinien, des opposants notoires, figurent également sur la liste des prochaines victimes de la répression macoute. Hier au soir, au Palais, avant l'expédition à Bourdon, les principaux tueurs de la milice ont en ma présence sollicité du président l'autorisation d'envoyer une fois pour toutes ad patres les Denizan et Cie. Le docteur Duvalier leur a dit qu'on ne devait dans l'immédiat pas toucher à un seul cheveu de vos têtes. Il a toutefois précisé sa stratégie à l'égard de votre famille : « Il faut prendre le temps, qu'il a dit, de couper une mort sur mesure pour l'engeance à peau claire de Bourdon. Je réfléchis à des disparitions tout à fait hors série. Je mets au point des méthodes sui generis de zombification de l'ensemble de l'ethnie mulâtre. » Le chef d'État et son gang sont convaincus que le Kominform a confié à votre couple mixte la mission de préparer une insurrection avec les jeunes gens en colère de la gauche haïtienne. L'accueil que le journal *Coumbite* vous a fait en décembre dernier leur a mis la puce à l'oreille. L'invitation à dîner au Palais, la perquisition dans votre bibliothèque et la saisie de livres, le complot ourdi avec Picasso, Hemingway, Césaire, Breton et la McCullers, tout ça est du mardi gras à la Papa Doc. Pol est d'accord avec moi. Dans la situation de votre ménage et de vos proches, pour échapper au pire, il reste une seule issue : demander l'asile politique à des ambassades de l'Amérique latine.

— Merci mille fois. Venant de Pol et de vous, ces conseils n'ont pas de prix.

À la sortie, en présence des effectifs du corps de garde, le colonel fit semblant de prendre congé de moi sans aucune aménité.

— Citoyen Denizan Richard, tenez-vous pour averti. La prochaine fois, ce sera pan-pan-pan ! dit-il à haute et menaçante voix.

Par-dessus son épaule, j'interceptai le cri

réprimé dans le regard du premier lieutenant Leslie Fontoriol. La mort avait pour moi les yeux pers de Lili.

CHAPITRE 7

Cellule de crise à Bourdon

Après la conversation au siège de la gendarmerie, on n'avait qu'une chose à faire à la maison : réunir de nouveau en cellule de crise les membres de notre famille en danger. À la table de la salle à manger il y avait deux absents : Lucie et Didier. Leur appartenance au Front national vaudou du salut les excluait d'office de notre conseil.

À l'écoute de mon compte rendu, Popa et ma sœur aînée Rita tinrent les deux mains crispées et unies sur la bouche. De temps à autre, en réaction aux faits que je rapportais, elles émettaient le murmure entre les dents que la solitude du malheur arrache aux femmes de l'île.

— Grâce la miséricorde ! mes amis-oh !

— Miserere mei Deus !

Dito taisait son horreur. Les embardées de l'histoire lui étaient familières. Plusieurs de ses proches, des Israélites ashkénazes, avaient disparu dans les fours et les chambres à gaz du chancelier Hitler.

Côté masculin, Rachid, Guy-Luc, Régis, gardaient la tête entre les mains, les coudes en appui sur les bords de la table. Mon récit de la rencontre à la police corroborait l'opinion qu'ils avaient du Front national vaudou du salut.

— Le FNVS, dit Régis, est la gomme à effacer toute trace d'humain en l'homme et la femme !

— Il concocte pour les Haïtiens un sort collectif de zombies ! fit Guy-Luc.

— Il prépare une zombification à grande échelle, dis-je.

— On ne va pas se laisser zombifier, dit Popa.

Elle avait pris l'air déterminé des temps d'épreuves.

— Ça y est, dit Rachid, von Hofmannsthal *chevauche* tout de bon mam Popa.

En effet, son regard et ses mains frissonnaient de la montée dans ses neurones du messager de l'outre-mer blanc. Sa voix se fit âprement rauque et décidée. Tout son être blessé devenait celui du prodige de théâtre viennois qui la *montait*.

— Dito doit très vite s'en aller. Son départ, fatal pour Dick, est cruel pour nous tous, dit le *loa*. N'est-elle pas une Haïtienne de plus sous le toit de mon *cheval* ? Ce serait cependant injuste de l'exposer sans défense à nos abominations.

— J'en ai vu d'autres, tu sais, fit Dito, jetant les bras autour de l'épaule de sa belle-mère de *loa* von Hofmannsthal.

— C'est la deuxième fois, dit Popa, que ma belle-fille a des tontons-SS à ses trousses. Trop, c'est trop dans une vie. Tu es fille unique. À Tel Aviv, tes parents ont besoin de ta présence. Dick t'y rejoindra, si Dieu le veut.

— Je suis d'accord, dit Rachid. Grâce à son passeport israélien Dito peut partir sans difficulté. Dick et Régis obtiendront par mes soins l'asile d'une ambassade latino-américaine : les ambassadeurs du Brésil et du Venezuela sont mes partenaires de bridge au Cercle port-au-princien. Mam Popa et Guy-Luc eux n'ont rien à craindre. Ils n'ont pas été mêlés au micmac des dernières élections. Quant à Rita et moi, nous avons déjà pris les dispositions du départ pour Miami avec nos garçons.

— Rachid a raison, dis-je. Il faut se disperser quand on n'a que des mains nues à opposer à la satrapie. Mais, en ce qui me concerne, il n'est pas question de partir.

— Tu n'es pas timbré, non ? dit Guy-Luc.

— De vous tous, jusqu'à nouvel ordre, je suis peut-être le moins vulnérable. Il faudra du temps à Papa Doc pour la mort sur mesure qu'il concocte pour mes os. Il a jeté au pays un défi : faire de tout un chacun un zombie de son cheptel. Chiche ! je reste pour le relever avec les Haïtiens.

— Tu es fichtrement dingue, dit Guy-Luc. Ton geste de kamikaze ne servirait à rien. Ton mouvement ouvrier-paysan est un fabricant de bulles de savon. On ne voit pas l'ordre tribal rouge du camarade Kola en train d'administrer des règles de savoir-vivre et de civilité révolutionnaire à un cyclone nazi. Qu'est-ce qui te retient dans notre boule de fumée noire ?

— On peut encore y ouvrir un chemin, dis-je.

— Haïti a besoin, dit Rachid, que des hommes d'action lui apprennent des formes jamais vues de lutte contre la barbarie.

— Les idées de Dick et de Rachid, dit notre mère, n'ont rien de déraisonnable. En restant Dick veut montrer qu'un homme, même seul dans la fosse aux vaincus, peut encore aider ses concitoyens à se mettre debout dans la tempête.

— Bravo ! s'exclama Dito, comme si de rien n'était mam Diani vient d'avancer une vue épidémique de la liberté. On trouve la même idée au théâtre de Jean-Paul Sartre. Cela s'appelle la contagion par l'exemple.

— Ils nous font de belles jambes les mots à la Popa-Sartre ! dit Guy-Luc, sauf que jouer à Port-au-Prince au héros individuel n'est pas un rhume de cerveau que l'on peut refiler à son voisin. Un combat singulier de poète ne peut rien pour rouvrir les yeux des morts-vivants.

— Tu as assez parlé Guy-Luc, dit Régis. Laisse

notre *cheval* de mère achever son raisonnement sartrien.

— Je dis que l'ennemi mortel de cet animal pelé de république nègre, avant même Papa Doc et ses zomberies nazies, c'est l'idée que ce pays a de l'État républicain à l'haïtienne.

— De là viendraient, dis-je, notre haine de tout contrat social, notre vieux mépris des droits de l'homme et du citoyen, notre vision sorcellaire des choses de la société civile...

— Il y a, renchérit notre mère, le cyclone, le paludisme, la sécheresse, la mortalité des enfants, des épreuves atroces qui traquent tous les foyers ; à cela il faut ajouter la prostitution, l'érosion, le pian, le kwashiorkor, les inondations, tout ça, et une pile d'autres grands malheurs à venir, ferait partie du même pouvoir noir à la Baron-Samedi qui fait d'Haïti un hapax existentiel !

— Tu voudrais dire, fis-je, que nous vivons nos iniquités sociales et les fléaux naturels comme des phénomènes également magiques ; le tonton-macoutisme d'État, la papadocratie vitam aeternam, la satrapie, créole ou bossale, le carnaval politique auraient la même origine surnaturelle que les pluies et les vents qui dévastent les plantations de bananes ?

— Oui, dit Dianira Fontoriol, la négritude totalitaire à la Papa Doc est la chiennerie cosmique des sorciers de la barbarie.

— C'est un pouvoir noir *vlanbindingue*[1] nom de Dieu! se récria la fureur de Guy-Luc.

— Dans ce foutoir ensorcelé, serions-nous à jamais foutus? interrogea Régis.

— On a tort, dit Rachid, de s'exagérer ainsi nos tribulations.

— Ce n'est, en effet, pas très malin de parler comme ça, dis-je.

— Il y a encore moyen de remonter de la fosse aux tontons-SS, dit Rachid.

— Face à la hyénaille du Front national, dit notre mère, il y a lieu pour les Haïtiens de s'arc-bouter fortement sur les pieds, les genoux, les mains, les tripes…

— … également sur les gros tétés? demanda l'humour souvent égrillard de Régis.

— En effet, il ne faut pas écarter les belles parties solaires du corps, dit notre mère.

— Y compris, dit Régis, le vilebrequin à répétition des machos et la boîte aux rêves des gonzesses, pour la bonne mesure. Pour sa refondation, ce pays a besoin d'un coït et d'un enfantement jamais vus!

Sur ces fortes paroles d'espoir, notre premier conseil de famille se sépara dans la bonne humeur.

---

[1] *Vlanbindingue :* nom de l'une des sectes de magie noire qui évoluent à la périphérie du culte vaudou.

Dans le même numéro 2, volume 1, la gazette de la génération qui monte a célébré le retour d'un poète que l'on croyait à jamais égaré loin des travaux et des jours de désolation de son pays natal. Des textes de bienvenue lui ont été consacrés sous la manchette *Bonjour Richard Denizan Bonjour Dito Sorel*. Des pages de haute qualité ont déroulé, en haïtien et en français, un tapis rouge sous les pas de Dick Denizan, l'enfant non pas prodigue, plutôt fils prodigué, puisqu'il est revenu à la maison de Dianira Fontoriol, a écrit Lucien Leprieur, dans son édito. Longtemps avant lui, un sage oriental a dit que l'idéal est une affaire de génération : c'est pourquoi des jeunes de la même classe d'âge que Dick l'ont accueilli en grand nombre et à bras ouverts, sur le quai du retour à Port-au-Prince, et dans les colonnes des journaux, au bout de onze années qui auront été dans la vie de leur pote onze stations d'un nomadisme comparable au destin du figuier-banian de l'Inde :

à la porte de ton île, vieux frère, nous disons :
honneur à ta marche libertaire de nomade
te voici qui retrouve le toit de Bourdon
le soleil rassemble à gauche
la foule bleue des copains et des copines
ton sang rejoint la rivière La Gosseline qui colporte la nouvelle à l'oreille musicale du golfe de Jacmel. En ces temps torrides, ce retour est notre arbre le plus rafraîchissant. Ce retour-fraîcheur-de-petit-matin enchante l'oiseau madame-Sarah des collines ; et le parler-créole du piment-bouc et le qui-vive du sel marin. Ce retour ouvre la grammaire qui gouverne l'ABC, dans l'ordre alluvial propre à l'ADN de la grand-mère Célia, la Grande-Ya de l'enfance, éblouie dans sa liturgie du soir, dont le vaudou militaire aura servi de guide à tes racines aériennes de banian

on a tué le veau gras de ton retour ; la table est mise sous un manguier en fleur. Mange du bon, du tendre et du chaud, passé au beurre frais de l'amitié. Voici des mets du cru que nous t'avons préparés : le riz aux haricots rouges est bien éclairé de dion-dion et de piments z'oiseaux ; le poisson est accommodé à la sauce des dieux : le poulet est grillé et saucé jusqu'à l'émerveillement des papilles gustatives. Cède au faible de la bouche pour l'igname et la banane plantain mûre ; pour le jus de goyave et de corossol ; cède à l'appétence de la langue mâle pour la papaye sensuelle des tropiques. Sur ton qui-vive exotique, cède au grand goût de l'épi de maïs qui rit de toutes ses dents, au jardin humide d'une cousine du temps des grandes vacances, haïtiennement bonne à manger, à étreindre, à prendre au petit matin, fascinant de chocolat et de cassave ; ou au soir d'une adolescence qu'ensoleillait le foufounet impérial à Lili

ouvre avec la même rage le labyrinthe de ce tiers hallucinant d'île ; approche sans hésiter des *arbres musiciens* du général Alphénix Ultimo des hautes collines de Jacmel ; mêle ton oxygène de globe-trotter à la tragédie des saisons mises en croix ; ouvre les Sept Douleurs de l'arc-en-ciel qui t'a engendré : lundi violet, mardi indigo, mercredi bleu, jeudi vert, vendredi jaune, samedi orangé ! Te voici revenu, en quête du dimanche rouge qui a roulé au sol des ancêtres, avec, sur une assiette émaillée, la tête éberluée de grand vaincu du généralissime Phénix Ultimo

dans ses atours *de compère général soleil*, le célèbre écrivain Jean-Alex Aldébaran est allé dans le port au-devant de son compagnon : *Joyeux Noël Richard ! Joyeux Noël Dito !* pour votre couple, le matin lance sa fusée-signal rose au-dessus du morne, un ciel joyeux s'amène parfois près des flamboyants, il est tout bleu, tout net, tout droit, avec peut-être un papillon, un pétale fou, le duvet volatil du colibri : attachez-vous à ce vol unique au monde, à l'immense diamant de la mer caraïbe, qui a porté d'île en île, depuis les jours que vous nous approchez, attendant de crier terre ! la terre grasse et molle de ce décembre incertain, la terre tendrement natale ; pour vous deux, c'est un appel vénusien, à l'arôme indéfinissable, sans fin, au jardin de ses filles fruitives, ta mère viendra en Popa Singer magique, en médium, aux yeux couleur du temps des îles ; ta mère, la von Hofmannsthal, aux mains défaites à la machine à recoudre les vilains draps qu'aura faits à notre vie la grande histoire des humanités ! Sur le quai du retour, ta mère, en état de possession aux côtés des sœurs et des frères qui, avec les amis, ont lâché les colombes d'un accueil sans précédent

te souviens-tu, a demandé Jean-Alex, du petit hôtel de passe de la rue Joubert (au 3 de la rue Joubert, à Paris, juste derrière les Galeries Lafayette), où nous logions à notre arrivée en France ? Paris était généreux et confiant à nos portes contiguës. Paris devait bonifier le vin de nos jeunes années. Paris nous aida à étudier, à créer, à vivre intelligemment les malheurs de l'époque. Paris livra nos sens aux harmonies accrues qui nous poussaient à bosser, rire, chanter, skier, nager, lire, boire, baiser à ventre ébloui, avec l'espoir de faire un jour prospérer dans le monde la tendre idée de fraternité

après t'avoir accueilli le premier sur la terre étrangère, je suis encore à t'accueillir en cette douzième nativité que tu traduiras cette fois du sol natal qui fait ta force d'homme, et nous donne la joie de vivre alléluia le temps passera des bras t'entoureront pour mieux participer au tremblement de la vie, à l'angoisse humaine de vivre, au mystère et à la solitude de chacun – homme, femme, enfant. Maintenant, nous allons créer, vieillir, nous bonifier avec passion. De rudes luttes vont nous occuper. Il va falloir retrousser nos manches *pour gagner la campagne de la belle amour humaine*. Pour l'honneur et la satisfaction d'exister, chantons, buvons, rions à la terre insulaire retrouvée. Joyeux Noël Dick Joyeux Noël Dito dans l'éclat de la haute terre d'Haïti !

TROISIÈME MOUVEMENT

CHAPITRE 8

Sonatine de l'amour malheureux

Dans la soirée du départ de Dito Sorel, après un dernier repas en famille, Régis nous prit à huit heures dans sa jeep sans toit. Le ciel de juin était de cendre. Il soufflait un vent d'eau de pluie dans l'étuve d'un Port-au-Prince gélatineux et désolé. Des tourbillons de poussière harcelaient les derniers passants.

Au bureau d'accueil du port, on remplit en somnanbules les ultimes formalités d'embarquement. Le cargo *Carolina* était en partance pour l'Europe du Nord. Six mois auparavant, ce même steamer hollandais avait conduit notre ménage de Rotterdam à Haïti. Maintenant on n'en menait pas large sur le wharf désert. Régis avança le prétexte d'un plein d'essence pour nous laisser nous dire adieu sans témoin.

On était soudain empêtrés dans nos liens de mariage. On se pétrissait fébrilement les mains. Les jours précédents, en marge du chaos ambiant, on avait soumis l'histoire de notre couple à un ramonage exemplaire. On n'avait fait grâce de rien. On s'était mutuellement avoués coupables : en temps de guerre froide généralisée, on avait mis un égal acharnement à démolir par le feu la cahute d'illusions qui avait servi d'abri à nos années de dérive conjugale.

En ces instants de séparation, je ne cherchai pas à savoir comment le désamour se démenait dans ses tripes. Dans les miennes c'était la basse pression. Encore quelques minutes de pétrin, le navire marchand néerlandais nous volerait les pâques solaires que l'on fit à la folie dans la chambre 301 d'un pavillon de la Cité internationale universitaire de Paris. Cette nuit-là d'avril 1950, mon *homme de bien* célébra « l'origine du monde ». Son état d'énergie sans précédent, à coups de pinceau à la Courbet, devait offrir mon sang de toute la vie au gros appétit d'un fou-founet de rêve.

— Tu es une tourterelle de conte hébreu. À charrier dans mes veines le glouton paradis de ta rage de vivre tu fais à mes jours un bonheur doucinement judéo-magyar. Rose portique de Jérusalem, rose grimpante au mur de mes jubilations, on fait ensemble à merveille l'ange-à-deux-dos. Sous le nombril de ta beauté, mon juif errant de pinceau à tête chauve et chercheuse connaît cent ans d'éblouissant carnaval intime, avant de disparaître un soir dans les flammes du théorème $x^n + y^n = z^n$ félinement aux aguets entre tes cuisses de femme-jardin !

Au moment de la rupture, un clochard est apparu au fond de ma solitude sans aucune envie de retenir dans son office des ténèbres la somptueuse électricité juive de la Sorbonne. Nos atomes n'étaient pas appropriés à rester la vie durant follement accrochés les uns aux autres. Mon naturel de mâle, possédé du touffu ermitage humide de la femme, devait changer nos passions en insupportables orages d'été. Mon bon sang de bonsoir de poète perdit et son froid et son chaud dans la possession de la foufoune de ses songes.

Bien avant les manœuvres finales de l'appareillage, la pluie qui avait été jusque-là une brave farinade d'eau tiède se précipita brusquement sur le port. Sa trombe des tropiques noya sans miséricorde les chiots de notre étreinte d'adieu.

Je regardai Dito – plus adorable femme-jardin que jamais – gravir sous le grain la passerelle du cargo. Sur le pont, en route vers sa cabine et l'éternité, elle me fit de la main un salut accompagné d'une grimace désolément tendre de la bouche.

Toute une existence plus tôt, dans un amphi de la Sorbonne, à la fin d'un cours de Gustave Cohen sur la poésie lyrique au Moyen Âge, la même moue de tendresse aux abois avait précédé de quelques heures l'ensoleillade de nuit qui nous attendait dans un plumard d'étudiant, à la Fondation Rosa Abreu de Grancher, plus connue alors comme Pavillon de Cuba, au 59 A du boulevard Jourdan.

Au volant de la jeep, Régis revint m'arracher au naufrage. Sans l'éclat de Dito à mes côtés, j'étais soudain dans la tornade des humanités un rescapé de l'amour malheureux. Je n'arrêtais pas de chanter à tue-tête une rengaine fameuse de l'époque : *Il n'y a pas d'amour heureux*. Le temps de juin, en vieil oncle ennemi, à grands coups de fouet dans le dos, rabattit mon frérot et moi vers la maisonnette en bois des hauts de Bourdon.

CHAPITRE 9

Le parrain de noces

— Que c'est cruel à vivre, ô Petite Dame du
Bon Secours! gémit ma sœur Lucie, la voix étran-
glée de sanglots. Notre parrain de noces nous a
fait ça. Que c'est dur à supporter!

— Raconte, Cici chérie, dit Dianira Fontoriol
à sa fille cadette.

— Hier à midi, Didier et moi, on allait se
mettre à table quand le téléphone a sonné. Clovis
Barbotog avisait qu'il ferait un saut chez nous en
début de soirée, « pour une affaire, qu'il a dit,
pas très éloignée de l'enseignement du grec ». Tout
émoustillé par la nouvelle, Didier a cru que l'ami
Totog apporterait en grande pompe, sur un
plateau d'argent, la position qu'il convoite depuis
des mois : l'ambassade d'Haïti à Athènes. À sept
heures pile Clovis s'est amené en uniforme de chef
tonton macoute. Il était flanqué de Boss Gros-
Bobo et de Ti-Râ Bordaille, ses principaux adjoints
de la milice. Aussitôt assis, il s'est mis à abreuver
Didier de grossièretés. « Écoute, maître Jeannotin,

prof de grec à la noix de coco rassis, qu'il a dit, une rage violette a saisi le Chef spirituel à vie, quand, il a appris que tu continues, au mépris de nos consignes, à t'empiffrer le dimanche chez ta belle-famille de Bourdon, en compagnie de nos ennemis mulâtres. Nous t'aimons trop au FNVS pour croire à un double jeu de ta part. En même temps notre Bureau politique est allergique aux humanités mulato-gréco-latines auxquelles ton nombril d'enseignant reste attaché. Il va falloir trancher le nœud gordien. Ce soir on est là pour te ramener zozu militari au sanctuaire de la Négritude. L'extra-territorial Ti-Râ, spécialiste de nos forages off-shore, abrite dans le caleçon le tour de piston qu'il faut pour remonter toute baisse de calorie ethno-duvaliériste », qu'il a dit à Didier, le distingué parrain de notre lune de miel, ô Notre-Dame du Perpétuel Secours !

Une crise de larmes plus intense que la précédente fit taire à nouveau Lucie.

— Que s'est-il passé après ? s'affola Popa.

Brisée par l'émotion, les yeux noyés de chagrin et de honte, Lucie s'engluait dans les mots du désarroi qui l'habitait de la tête aux pieds.

— Didier a été révoqué ? demanda Popa.

— Ton mari est en prison ? dis-je.

Lucie remua vivement la tête en signe de dénégation.

— Miserere mei Deus ! fit Popa en se signant,

ayant comme moi pensé au pire.

— Non, rassurez-vous, Didier est encore en vie. Atterré, il est incapable de se lever de son lit d'opprobre. À sept heures du soir, Totog nous a fait ça, en public, san Antonio de Padova, aie pitié de notre étoile!

— Je parie, dis-je, que le professeur Jeannotin a été mis au piquet, à genoux, les bras derrière le dos, dans un coin de votre jardin, sous les coups de martinet de Ti-Râ.

— Pis que des volées de rigoise[1], Dick. Parler d'une fustigation à l'inversal! Vierge de la Charité du Cuivre! priez pour la Petite Ourse à Didier!

— Ma douce fontaine de miséricorde, implora Popa, bois jusqu'à la lie ton godet d'affliction. Cesse de pleurer. Raconter ses malheurs à des proches ça fait du bien. Raconte!

Lucie sortit un mouchoir de son sac. Popa l'aida à sécher ses joues brûlantes.

— L'extra Ti-Râ, balbutia-t-elle, s'est précipité sur Didier. Il l'a ployé contre la table de la salle à manger. Il a aplati sa face dans la corbeille de fruits. Ensuite, mes amis-oh! il lui a descendu le pantalon et le slip.

— Pif-pif! Le grec ancien reçoit une fessée maison! dit Popa.

---

[1] *Rigoise*: nerf de bœuf tressé qui sert de fouet dans les châtiments corporels.

— Parler d'un allumage de rétro-fusées! Mon homme de culture classique a dû filer doux plus de vingt nœuds par vent arrière !

— Didier s'est fait *empapadocquiser*, dis-je.

— Ton homme des Thermopyles n'a plus d'étoile polaire pour le guider, plaisanta Popa.

— Ni de canal de Panama! se lamenta Cici, ayant du mal à retenir son envie de rire.

— Comment as-tu réagi à l'affront? dis-je.

— En fait, il y a eu un double viol. Boss Gros-Bobo m'a tenue en respect, un rasoir ouvert contre ma gorge, pour permettre à Clovis Barbotog de me trifouiller rageusement la ligne Maginot. Dans des mains (et par des voies) différentes, Didier et moi, on a hurlé en même temps le plaisir-répulsion arraché à nos entrailles. En partant, le chef macoute, parvenu au portail de la villa, est revenu sur ses pas dans l'allée. Il m'a susurré à l'oreille : « Félicitations, ma filleule chérie, il y a de la vraie femelle-femme sous ta robe ! Quant à maître Jeannotin, la méthode Ti-Râ lui est familière : n'était-ce pas foutre-sang-tonnerre ! le passe-temps favori des dieux de l'Olympe que ton pignouf de prof inflige comme modèles grecs à nos lycéens ? »

— À ta place, dit Popa, je l'aurais souffleté !

— J'ai fait mieux, maman : j'ai craché dans ses deux yeux, confessa Cici, avant de tomber dans les pommes de sa terreur.

CHAPITRE 10

Les événements du 29 juillet 1958

Que s'est-il passé à Port-au-Prince à l'aube du samedi 29 juillet 1958 ? Cela faisait un mois que Dito Sorel avait rejoint Israël. À la mi-juillet, Lucie et Didier, saturés d'amertume, un dépit rageur au bas-ventre, après un bref asile à l'ambassade du Brésil, avaient à leur tour fui le guêpier haïtien. Ces jours-là, Rachid était en voyage d'affaires à Miami. Son important commerce de tissus l'y conduisait régulièrement. Cette fois, Rita l'accompagnait, ainsi que leurs gamins. Le dimanche suivant, au déjeuner rituel à Bourdon, il n'y avait plus de jeunes couples à la table de Popa.

— Miserere mei Deus ! mon foyer tourne à la peau de chagrin ! Gare à vos os mes garçons !

À trois heures du matin, nous avons été réveillés par une fusillade de tous les diables. Longtemps après le lever du soleil, crépitements et rafales de toutes sortes d'armes automatiques nous ont maintenus en haleine. Les combats semblaient se dérouler aux environs du Palais et des allées du Champ-de-Mars. On était à Bourdon à moins de trois kilomètres du « théâtre des opérations ».

Attablés aux côtés de Popa, autour d'un café matinal plus tassé que d'habitude, Guy-Luc, Régis et moi, on se perdait en conjectures sur ce qui se passait dans la ville. On a opté finalement pour le scénario qui paraissait le plus vraisemblable. Après des mois de sourde rivalité, les militaires du général Kébreau et les tontons miliciens de Barbotog seraient en train d'en découdre pour de vrai. On pouvait parier que les gendarmes seraient les gros perdants de ce règlement de comptes. Ils n'avaient plus accès à leurs propres entrepôts d'armes et de munitions. Dès l'affaire Kima-Rimini, fin février, informé de la grogne croissante de certains officiers mulâtres, Papa Doc a fait ménager les caves de son palais en unique arsenal de la République. Il en garde nuit et jour les clefs à portée de la main. En se campant ainsi sur les armements de ses adversaires, il entendait leur couper les vivres d'un éventuel coup d'État.

— Si la gendarmerie a décidé, malgré tout, de jouer son va-tout, dit Régis, ses chefs militaires risquent de se trouver très vite au Fort-Dimanche sous les balles des pelotons d'exécution. Les tontons macoutes ne feront pas de quartier.

Notre mère était ramassée sur elle-même, tout à l'écoute de nos pronostics incertains du petit matin. Au lieu de bondir dans la conversation, elle restait longuement de marbre. Les yeux baissés sur son bol de café au lait, elle semblait préparer avec un regain de ferveur le retour du *loa*-conseil dans sa tête.

— Von Hofmannsthal n'est pas sur la même longueur d'onde que nous, la taquina Guy-Luc.

— Pour moi, voyez-vous, dit-elle, l'humeur soudain en bataille, la bande à Kébreau n'est pas mêlée à la bagarre de cet avant-jour. Il doit s'agir plutôt du soulèvement d'un secteur civil de l'opposition. Lors de notre dernier conseil familial, Rachid a dit des choses extraordinaires. Elles n'ont pas l'air d'avoir excité votre imagination. Rachid a dit : « Les Haïtiens ont besoin que des hommes d'action leur apprennent des formes jamais vues de lutte contre la barbarie. » Il a ajouté : « Il y a encore moyen de remonter de la fosse aux tontons-SS. » À la fin du repas, il nous a presque vendu la mèche : « Rita et moi, qu'il a dit, nous avons pris les dispositions du départ pour Miami avec nos garçons. » Ces puces-là ne sont pas tombées dans l'oreille d'une sourde.

— Tu nous parles, dit Guy-Luc, comme si en cet instant, tu *voyais* Rachid allongé derrière un massif d'hibiscus du Champ-de-Mars, en train de tirer au fusil-mitrailleur contre nos ennemis !

— La seconde vue n'a jamais été mon fort, dit la von Hofmannsthal. Je suis seulement en état d'aider la Fontoriol, mon *cheval* de rêve, à galoper au-devant des événements tragiques de ce pays. Ça y est : votre maman peut en mettre la main au feu. Cette nuit, son beau-fils Rachid Ben Estefano, le mari palestinien de sa fille Rita, le père de ses deux petits-enfants, est corps et âme dans le coup qui traque dans son ressui l'animal féroce dénommé Papa Doc !

La nouvelle nous donna à boire du petit lait de chèvre, comme chaque fois qu'on obtenait de notre mère des signes merveilleux de ses facultés de *loa*-médium. Mais, en écoutant plus tard à la radio du tyran le récit des faits de l'avant-jour, mes frères et moi, on eut le souffle coupé. En ce tragique début de septembre 2001, en revenant sur le passé, quarante-trois ans après la tragédie du 29 juillet 1958, j'en demeure encore plus pantois.

« Cette nuit, vers les trois heures, raconta alors le présentateur de *La voix de la république d'Haïti*, un commando parti de Key West, en Floride, après la prise sans coup férir de la caserne Dessalines qui jouxte, comme chacun sait, l'enceinte proprement dite du Palais, ce commando a été à deux doigts de pied de capturer dans son sommeil le Chef spirituel à vie du tiers-monde haïtien.

« Soyez de suite rassurés, chers auditeurs, nous sommes décidément un peuple de veinards : les vaillantes cohortes du président, au moment où nous transmettons, ont déjà mis hors d'état de nuire le ramassis de mercenaires blancs que d'anciens officiers mulâtres, en complicité avec l'argent du négoce syro-palestinien de la capitale, ont amené à profaner la maison de l'empereur Jean-Jacques Dessalines le Grand. À l'heure qu'il est de la matinée leurs cadavres sont abandonnés à la vindicte de l'ethno-duvaliérisme intégral. Sous le balcon du président – qui surplombe et l'histoire du monde et l'esplanade gazonnée du Palais – ces vagabonds de la pègre internationale sont livrés à la justice dernière des mouches à papa Bon Dieu.

« Les flibustiers de la pleine lune étaient au nombre de huit. Au siège du Front national vaudou du salut le puzzle de leur coup de main est maintenant reconstitué. Les VSN, aidés de la police, ont pu rapidement les identifier et remonter le fil de leur flibuste. Après avoir parcouru le millier de kilomètres qui séparent le détroit de Floride de notre golfe de la Gonâve, ils ont débarqué du *Molly C*, un bateau à moteur de dix-sept mètres de long.

« Côté haïtien de l'équipage, il s'agissait de deux ex-capitaines mulâtres : Sonson Pasquier et Angelo Albi, flanqués de l'ex-premier lieutenant Phil Dominguez, à la peau encore plus claire que les susnommés. Au temps de la dictature du colonel Paul Magloire, ces gradés de mauvais cinéma muet, en as de l'intrigue et de la nouba porno, étaient les piliers d'un organisme officieux, connu comme la Petite Junte à Popaul. Leur shadow-cabinet à l'haïtienne était, en effet, le bras droit, affairiste et oppresseur, de l'homme à la culotte de fer qui faisait alors à Port-au-Prince plus souvent le cyclone que le beau temps. À sa chute, en 1956, ses protégés devaient le suivre dans son exil new-yorkais.

« Deux des cinq aventuriers blancs de l'équipée, Arthur Payne et Dany Jones, étaient des shérifs auxiliaires du comté de Dade, non loin de Key West. Les autres risque-tout étaient les nommés Robert F. Hickey, Levant Kersten, et Joe D. Walker, le capitaine du *Molly C.* Pavoisées de tatouages obscènes, leurs anatomies de lutteurs de foire ont été sans doute recrutées dans les bas-fonds de Miami.

« L'identification de Joe D. Walker a fourni du fil à retordre à nos limiers de la recherche criminelle. En effet le corps du skipper, quoique sévèrement mutilé par la populace en colère, est le portrait craché du commerçant syro-palestinien Rachid Ben Estefano. Ce matin, sur les bancs du Champ-de-Mars, la vox populi disait que si ce n'est pas lui en personne, c'est son sosie-

marassa-blanc-américain. Les deux forbans, le mort et le vivant en fuite, se ressemblent à s'y méprendre. Il aura fallu aux enquêteurs un examen très attentif du rôle d'équipage pour rectifier la troublante confusion. Sachez toutefois que le sieur Ben Estefano n'a pas pour autant disparu de la scène du crime et de l'enquête qui l'entoure. On a, en effet, découvert le *Molly C* attaché au ponton du cottage qu'il possède à Délugé, le lieudit du débarquement. Comme par hasard, ces temps-ci, l'homme levantin de la rue des Fronts-Forts séjourne à Miami avec toute sa famille. La suite de l'enquête révélera sans doute que Rachid Ben Estefano, outre l'infamie d'avoir eu un frère siamois à la barre pirate du *Molly C*, est le commanditaire civil de la profanation de la nuit dernière.

« Ils ont donc mouillé, hier 28 juillet, en début d'après-midi, à Délugé, petite anse abritée de la côte nord, entre Montrouis et Saint-Marc. Les habitants du hameau, des pêcheurs pour la plupart, habitués aux escales des yachts de plaisance, ne se sont pas méfiés du remue-ménage d'un joyeux groupe de drilles blancs, égaillés en maillots de bain sur la plage. Pris pour des touristes, des marchands se sont empressés de leur vendre des chapeaux de paille et des babioles, en bois sculpté, de l'artisanat local. De même nul ne s'est étonné de l'assurance avec laquelle ils ont accosté le *Molly C* à l'embarcadère du bungalow de Rachid Ben Estefano.

« Dans la soirée, le capitaine du bateau a obtenu sans peine de Saül Petit-Frère, chauffeur de tap-tap à Délugé, qu'il lui loue son véhicule de transport en commun. Le prétexte avancé était qu'il avait besoin d'être à Port-au-Prince tôt le lendemain, pour le remplacement d'une pièce défectueuse de son moteur. Il avait eu des ennuis mécaniques durant la traversée. Les assaillants ont attendu la nuit pour charger sur le tap-tap de Petit-Frère les caisses d'armes et de munitions. Un carnet trouvé sur l'ex-capitaine Albi apprend que l'opération criminelle portait le nom codé de baptême de "Nettoyage à sec au saut du lit".

« Revêtu de l'uniforme kaki de nos forces armées, le commando a roulé sous la pleine lune vers Port-au-Prince, sans éveiller le moindre soupçon des postes militaires de la côte nord. Vers trois heures, la sentinelle en faction à l'entrée de la caserne Dessalines a vu un bouillant capitaine mulâtre lui intimer l'ordre de lui ouvrir le lourd portail en fer. Sa jeep était tombée en panne sur la route de Léogâne, il a réquisitionné un tap-tap de passagers pour le convoi d'une poignée de prisonniers blancs déguisés en gendarmes. Il venait soumettre ces trafiquants de drogue à un interrogatoire musclé.

« Une fois franchie l'entrée de la caserne, Pasquier Sonson devait menotter et bâillonner le factionnaire médusé. Ensuite le tap-tap a traversé le polygone d'exercice pour aller stopper au pied de l'escalier qui conduit au poste de garde. Les trois militaires de service – deux officiers et un sergent – ont été sur-le-champ égorgés, sans avoir eu le temps de piger ce qui leur arrivait. Après le triple assassinat, les mulâtres félons, grâce à leur connaissance parfaite des lieux, ont jeté les brigands blancs sur la garnison noire. Nos frères d'ébène ont été réveillés en sursaut par des coups de crosse et des injures en anglais. Dans leurs maillots de corps et leurs caleçons, tout déconfits dans leur stupeur de sacs vides de charbon ardent, ils ont été ligotés au sisal et enfermés à double tour.

« Devenus maîtres de la caserne Dessalines, les malfaiteurs n'avaient plus que deux cent cinquante mètres de jardin à franchir pour faire irruption ô sacrilège ! dans la chambre à coucher du couple présidentiel. Mais les dieux tutélaires qui veillent sur le repos de leur Chef spirituel ont poussé l'ex-capitaine Pasquier à perdre beaucoup de temps au téléphone. Ils lui ont volé l'effet de surprise qui jusque-là assurait le succès de l'entreprise. L'homme Sonson Pasquier a senti dans ses entrailles le besoin urgent d'appeler des officiers de sa connaissance, avec l'idée de les rallier à son aventure. Tour à tour, il a eu au bout du fil les quartiers généraux des forces armées et de la police, le commandant des gardes-côtes, le commandant du pénitencier national, le directeur de l'Académie militaire, le filleul du président, et même le fidèle Claudius Rémont, le tout jeune capitaine qui commande la Garde présidentielle. Alternant, en créole, paroles de triomphe et gros mots de malédiction, il apprit à ses interlocuteurs que mille hommes, munis d'armes lourdes, après avoir fait main basse sur la caserne Dessalines, venaient sous ses ordres d'encercler le Palais national et les principaux édifices publics de Port-au-Prince. De ce fait, le gouvernement du 22 septembre 1957 était renversé : l'ex-président François Duvalier avait vingt-deux minutes pour faire ses valises. L'ambassade de Colombie l'attendait avec les principaux membres de sa famille.

« Les événements auraient pu prendre la tournure imaginée dans le délire mégalo de l'ex-capitaine Pasquier. Son numéro d'esbroufe, quarante-cinq minutes durant, au téléphone, était de nature à semer la confusion dans les rangs de la gendarmerie, au bureau politique du FNVS, au gouvernement et parmi les forces de sécurité. C'eût été, en pays vaudou des Haïtiens, ne pas compter avec l'alter ego le plus proche du Chef spirituel à vie, l'entreprenant Baron-Samedi.

« Outre la diversion opérée avec Pasquier, il eut

aussi recours à un stratagème digne d'un émir musulman des cimetières. Il éveilla dans les couilles de l'ex-capitaine Albi une envie comme qui dirait libidineuse de griller dans le petit jour une cigarette de la marque Splendid, qui sent son terroir de femelle haïtienne. Baron-Samedi fit souvenir à Albi que des échoppes du marché Salomon, à cent mètres de la caserne, ne ferment pas la nuit. Bandé comme un cerf polonais du zoo de Philadelphie, l'ex-officier enleva aussitôt menottes et bâillon à la sentinelle Grégoire Titus-Pierrot. Il lui ordonna d'aller à toute bouline lui acheter deux paquets de Splendid. Notre Titus-Pierrot national-duvaliériste, un filleul de Ti-Râ Bordaille, plus macoute dans l'âme que personne, une fois de l'asphalte sous les pieds, piqua tout droit un sprint à la Zátopek vers le poste militaire du Palais. Il dit au capitaine Claudius Rémont qu'il était porteur d'un message personnel ultra-confidentiel de Baron-Samedi pour le président. Papa Doc interrompit les préparatifs du départ en catastrophe. Il fit asseoir le petit gendarme sur ses genoux pour découvrir le pot aux roses de sa destinée.

« "Excellence, dit Titus-Pierrot, claquant des dents, Baron-Samedi vous fait dire comme ça que les envahisseurs ne sont que huit malandrins : trois mauvaises graines mulâtres et cinq gros Blancs-méricains plus tatoués qu'un tap-tap de la

Croix-des-Bouquets !"

« Papa Doc demanda à Titus-Pierrot de répéter 22 fois de suite ce qu'il venait de lui apprendre : ce n'est pas à mille hommes équipés d'armes lourdes, que son étoile a affaire, mais au seul bluff dégueulasse d'un d'ex-petit-capitaine de la dégueulasserie mulâtre !

« "Oui, papa-chef-rituel, dit un Titus-Pierrot ébloui au bout de sa litanie du petit matin, rien que huit cochons-sans-poils comme ça en uniforme kaki de la méchanceté."

« Le Chef spirituel à vie fit illico déboucher des bouteilles de champagne : il fallait sans tarder boire en l'honneur de Baron-Samedi et de son Ti-Pierrot de messager. Les *loas* politiques d'Haïti-toma sont plus forts que la gendarmerie et le commerce palestino-mulâtre réunis autour d'un pentacle de shérifs !

« Encore en noir pyjama de soie, le président regagna sa chambre pour se changer. Dans le couloir, il s'éloigna en se tortillant : il esquissa des pas de danse-rabordaille qui firent se tordre toute une smala intime encore en larmes. Peu de temps après, il réapparut : il dansait cette fois en treillis de combat, coiffé d'un casque d'acier, deux colt 45 à la ceinture, brandissant une arme d'assaut belge, un fusil Fal flambant neuf. Il coupa net les félicitations et les vivats de ses courtisans.

« "Silence camarades foutre-sang-tonnerre!
Mes graines de bacoulou-baka ont faim. Je veux
qu'on apporte à midi sur la table, dans un seau
de glace, un bocal d'aldéhyde formique, du
CH_2O nom de Dieu! avec la tête de l'esbrou-
feur ordurier Pasquier Sonson! Je veux dans un
bol de sirop de canne bien frappé les couilles du
grand fumeur fana de Splendid à la con! À bas
le clitoris de leurs grands-mères!"

« Chers auditeurs, ce cri de guerre, lancé du
haut de l'ethno-duvaliérisme intégral, ne rallia
pas seulement les super-machos VSN, agents de
police, marins, aviateurs, pompiers, membres du
Front national vaudou du salut. Porté dans
l'avant-jour par un *télédyòl* du tonnerre, l'appel
du Chef spirituel devait rassembler un carnaval
politico-militaire sans précédent: marchands de
pâtés, livreurs de lait, maraîchères, bouzins-
hétaïres surréalistes, encore dans une forme
incendiaire, cireurs obscènes à jeun, insom-
niaques garçons de cour, farauds enfants-
mendiants-des-trottoirs-de-la-patrie, chauffeurs
à la peau tatouée de taps-taps et de taxis, clo-
chards de la philosophie néo-thomiste, libres
flâneurs matinaux de la négritude, tout ce monde
haïtien en colère fit un seul bloc autour de son
président et des hauts dignitaires de la milice
macoute. La Garde du Palais s'empressa de dis-
tribuer à la ronde des fusils, des bazookas, des

grenades, voire quelques torpilles (insularité oblige!), pour le coup de feu sans merci contre les profanateurs de la révolution duvaliériste.

« Chers auditeurs, à cette heure radieuse de la victoire sur les trublions, venez les voir sur la pelouse du Palais national, en proie à la juridiction sybaritique des maîtresses mouches à Baron-Samedi! La grenade bien ajustée de Rififo Fonthus-Figaro a décapité avec art l'ex-captain Pasquier. Le voici fin prêt pour le bocal du président! L'ex-lieutenant Phil Dominguez semble faire douillettement la méridienne, bien qu'il ait paumé un tir de Springfield dans l'oreille droite, un châtiment exemplaire dans chaque œil, sans compter la balle que la mitraillette Sten du commandant Barbotog a perdue dans l'énorme bite que les partouzes de la vie de garnison ont aguerrie. Venez voir l'ex-capitaine Albi, à jamais endormi dans la fumée lubrique du pays natal, il a eu droit à un dernier paquet de Splendid : la main chaude d'une jeune laitière de la Croix-des-Missions l'a pieusement posé sur le trou béant qu'il a gagné dans le haut du dos.

« Les mercenaires blancs, changés en cinq vieilles passoires, ne sont pas beaux non plus à voir au soleil-tigre des Haïtiens en colère de la place. Le clou du mardi gras improvisé aura été indubitablement le cadavre-corps à Joe D. Walker, l'énigmatique capitaine du *Molly C.* Dans l'effervescence de la populace, chacun a entendu parler de sa ressemblance coupable avec le commerçant palestinien de la rue des Fronts-Forts. Des personnes sentimentales ont voulu garder un souvenir intime de la campagne en trempant un coin de mouchoir dans la bouillie de matière grise répandue sur le gazon. Le volcan mystique de haine, le brasier de blasphèmes et de jurements en créole, devaient sur-le-champ trouver leur exutoire dans un air endiablé de méringue. Son refrain prend à partie, dans le même torrent de réprobation, la perfidie mulâtre, la piraterie des shérifs, la barbarie de l'islam meurtrier à la Rachid Ben Estefano. Au moment où nous vous parlons, la chanson, qui garde un chien de sa chienne à la Petite Junte à Popaul, continue de plus belle à chauffer la liesse générale de toute une race sur le Champ-de-Mars. En ce matin historico-culturel, l'illustre tonton macoute François Duvalier, plus fils adoptif que jamais des Saintes Écritures, est sorti omnilatéralement vainqueur de la première épreuve du feu de son mandat présidentiel à vie ! »

Après ce bulletin radiophonique de victoire, mes frères et moi, on resta une éternité sans voix, tournant des yeux brillants de détresse vers notre mère. Aucun de nous trois n'osait placer un mot avant la femme qui avait vu venir les événements.

— Je ne me suis pas gourée, dit-elle. En juin dernier, le soir de notre cellule de crise, Rachid a essayé, sans succès, de vous mettre la puce à l'oreille. Ce qu'il a dit était le signe avant-coureur de l'action armée qu'il tramait avec ses copains de la Floride.

— À un doigt du but, perdre ainsi la partie, quel boulot inepte de bousilleurs ! dit Régis.

— Quel bousillage de mazettes ! s'écria Guy-Luc.

— Ce putsch réussi qui part en fumée de cibiche, ça bouche tous les coins de l'entendement ! dis-je.

— Pour moi, dit notre mère, ces hommes qu'on a massacrés ne sont pas des bricoleurs, des rigolos, ou des fils de la grande pute. La fosse aux tontons-SS ne les a pas ensorcelés non plus. Dans leur stupide déroute, ils restent malgré tout des héros. Mon *cheval* vous le confirmera. Elle a une bonne opinion des trois anciens officiers de gendarmerie. Popa, dans les années quarante, a fréquenté leurs parents du Bois-Verna. Plus tard, au temps de la Petite Junte à Popaul, ils l'ont parfois aidée à joindre les deux bouts, sans rien exiger en nature de mon *cheval*, alors que votre mère était encore une jument en état de tenir grand déduit à n'importe quel étalon !

— Ils étaient de sacrés bambocheurs, dit Régis. Je les ai croisés dans les bals masqués de Pétionville. Déguisés en trois mousquetaires, ils jetaient alors de l'huile sainte à gogo sur le feu des partenaires travesties en sultanes des *Mille et Une Nuits* !

— Pour ça oui, dit notre mère, leur trio était doué pour la fête. Ils aimaient la chair belle et chaude, la joie de vivre à grand orchestre créole ! Toutefois, on n'a jamais entendu le *télédyòl* dire qu'ils pillaient la caisse de l'État ni qu'ils torturaient dans les caves de la caserne Dessalines. Leur petite junte aura plutôt limité les dégâts de la satrapie élitaire régnante à l'ombre du général Popaul Magloire !

— Crois-tu, dis-je, que Rachid pense autant de bien d'eux ?

— Le gendre arabe à mon *cheval* n'aurait pas fait appel à leurs qualités d'hommes d'action, s'il les tenait pour d'impitoyables salauds sans foi ni *loa* !

— Peut-on dire autant des compagnons blancs tombés à leurs côtés ? demanda Guy-Luc.

— À mes yeux, dit la von Hofmannsthal, ces yankees ne sont pas des truands. Tout au plus des casse-cous que séduisait un week-end chaud dans une « île magique » au large de la Floride. Peut-être, pourquoi pas ? ces gars avaient des notions de démocratie à l'américaine à inculquer à leurs voisins du sud ?

— Rachid a dû surtout laisser la parole à son chéquier… dit Régis.

— Bien sûr, dit le *loa*, ils n'ont pas risqué leur peau pour la seule Palestine vert jade des yeux de Rachid. Même ainsi, leur pâte humaine est l'inverse de l'immondice « noire » à la Papa Doc.

— La couleur de la peau, dis-je, n'a rien à voir avec ce qui vient de se passer. Dans son Palais national de Port-au-Prince la barbarie est « nègre ». En face, à la caserne Dessalines, une patrouille perdue de « mulâtres » et de « blancs » a défendu, par l'absurde peut-être, la belle lumière des humanités !

— Il reste, dit Guy-Luc, que c'est le peuple noir qui conduit dans ce pays le carnaval des barbares !

— Oui Guy-Luc, dit le *loa*, les bons aident souvent les méchants à écrabouiller d'autres bons. Et puis miserere mei Deus ! pour parler comme mon *cheval*, ce n'est jamais une histoire de bons et de méchants la guerre, sainte ou pas, que se font les humains. Une petite lampe de paix, encore enfant, cherche depuis toujours à rapprocher les gens de la condition humaine. À l'inverse, une enfance de lampe dévoyée s'acharne à nous éloigner de notre identité panhumaine. C'est peut-être ça le secret le mieux gardé de l'histoire…

— L'éternelle guérilla entre petites lampes immatures a encore une nouvelle éternité devant elle ! dit Régis.

— En attendant, dit Guy-Luc, nous voici dans de beaux draps noirs. Les représailles ne vont pas tarder. Je ne donne pas un cob de nos os dans la souricière macoute. Tenez, couilles de san Pedro ! les barbares sont là ! paniqua Guy-Luc, au raffut devant la maison d'un violent coup de frein ponctué de coups de feu.

Notre mère se précipita vers la sortie. Elle rappliqua éclairée d'un rafraîchissant éclat de rire.

— Des tontons et des gendarmes tout-tout nus, sur un engin blindé, le fusil d'assaut à bout de bras, ont freiné et ont tiré en l'air, fort contents de manœuvrer un demi-tour sur la route. Ils m'ont accueillie avec une autre salve de joie, avant de disparaître en sens opposé. Ils sont tout à leur brindezingue sauvage de triomphateurs !

— L'opération *requiem aeternam dona eis* a toutefois bien commencé contre nous. En deux mois de récolte, elle nous a pris, après Dito, Lucie et Didier, Rachid, Rita, et nos neveux.

— Ils ont la chance de vivre loin de nos zomberies, dit Régis.

— La prochaine fois, à qui le tour ? dit Guy-Luc.

— L'étau se resserre autour de Régis et de Dick. Quant à toi, Guy-Luc, le mariage, les abeilles, la gelée royale, la propolis, te feront une bonne planque. Éloigne-toi tout plan-plan de nos ténèbres.

— Notre mère, dit Guy-Luc, continue à mettre dans le mille. J'avais justement une invitation à vous faire : le 22 septembre prochain je me marie avec Marie-Françoise Périgard. Dès le 23 on part honorer le contrat que m'a fait signer un apiculteur nord-américain de mes amis, propriétaire d'une ferme en Californie !

CHAPITRE II

Le cauchemar sans fin

Le 30 juillet 1958, tôt le matin, Papa Doc endossa l'uniforme étrenné la veille. Il demanda à Fonthus-Figaro de lui établir la liste des deux promotions de l'Académie militaire, celles de 1941 et de 1942, d'où étaient sortis les ex-officiers Pasquier, Albi et Dominguez.

— Ce n'est pas un hasard, dit-il, si Pasquier a essayé de rallier à son forfait des camarades de promotion dispersés dans les garnisons de l'arrière-pays. L'esprit de corps est un atavisme mulâtre très fort chez nos gendarmes. On a affaire à des animaux gravement dénaturés. Il faut foutre-sang-tonnerre exécuter 22 d'entre eux au Fort-Dimanche !

— Le service d'écoute de Clovis, dit Fonthus-Figaro, a enregistré les appels à la rébellion de Pasquier. Il a commencé par joindre des commandants de la place de Port-au-Prince. Ensuite il a communiqué avec treize chefs de districts militaires de la province. Il a appelé en tout dix-neuf officiers supérieurs. En écartant ton cher filleul, le capitaine Claudius, à l'abri de tout soupçon, on a un lot de dix-huit suspects à abattre.

— Il manque quatre autres coupables sur la liste. Depuis mon triomphe du 22 septembre, mon nombril est attaché pour toujours à ce chiffre fatidique. Il est le meilleur fleuron de mon étoile. Je me suis levé ce jour avec l'idée géniale du coup double suivant : former le peloton chargé de l'exécution des 22 complices de Pasquier avec les 22 gradés les plus importants de la gendarmerie. Le haut état-major des forces armées va recevoir l'ordre de tirer au fusil Springfield du simple troufion. Connais-tu, Fifo, une meilleure façon de faire la leçon à nos ennemis potentiels ?

— Après l'exécution, dit Fonthus-Figaro, tes Haïtiens vont crier : vive le *papa-22-à-vie-de-la-République !*

Les choses ne devaient pas traîner en longueur. Dans la soirée du 30, le président convoqua dans son bureau les chefs de la milice, Barbotog, Gros-Bobo, Ti-Râ Bordaille. Il avait aussi à ses côtés, outre son fidèle Fifo, son filleul le capitaine Claudius Rémont, et sa secrétaire concubine Francesca de Saint-Totor. Il leur fit part de sa décision de liquider, selon un rite sui generis, les militaires que Pasquier avait appelés, au lieu de monter à l'assaut du Palais...

— C'est la preuve, dit-il, que loin de les tenir en suspicion, il était sûr de leur participation au complot. Totor m'a tapé une liste de dix-huit insurgés. On est proche du 22 de ma bonne lune. Au pied levé proposez-moi quatre autres coupables de votre choix. Pour si peu aucun de vous ne devrait se sentir démonté.

— Il me vient comme ça un nom à la tête. Pas plus tard que jeudi dernier, mon Excellence, je vous ai entendu vous plaindre amèrement d'un officier de la Garde présidentielle.

— Je vois à quel salaud vous pensez, Totor chérie. En effet, mes amis, depuis déjà un certain temps un des hommes de ma garde rapprochée se manifeste chaque nuit dans mes rêves sous les apparences d'un émir de l'Arabie saoudite. Une machette dans chaque main, il réclame les clefs de mon trésor : « Ton harem ou la vie ! » me crie-t-il à chaque fois. J'ai fini par reconnaître la voix du capitaine Tédéhomme Maxisextus. Aide de camp de la première dame, cet officier profite de son intimité avec les miens pour lutiner de très près l'innocent sex-appeal de nos deux gamines. Le play-boy de garnison se livre à des attouchements appuyés aux dépens du feu sacré de mes adolescentes. Il y a plus grave encore dans son inconduite : le joufflu et grassouillet Jeanjean, notre garnement d'avenir, n'échappe pas non plus à son jeu de doigts baladeurs. Tout dernièrement son écart de conduite est monté d'un cran dans le scandale et la profanation : après Carla, Maria-Antonia, Jeanjean, Francesca, manman-Simone, la reine mère en personne, a dû subir de son garde du corps des assauts d'une galanterie foutrement doigtée ! On peut s'attendre au pire : l'attentat à la pudeur du Chef spirituel n'est pas loin. À vouloir se taper, à coups de Te Deum par-ci, laudamus-sextus par-là, le capitaine Maxi s'est mis phalliquement hors la loi ! Le voici le dix-neuvième condamné de ma liste !

— Dans la troupe placée sous mon commandement, enchaîna le capitaine Rémont, Maxi n'est pas le seul à trahir la confiance de mon parrain. Le 5 avril dernier, tard dans la soirée, lors d'un petit tour de détente dans le parc, j'ai surpris l'un des jumeaux Monastir, le lieutenant Thomas, à quatre pattes sur le gazon, avec Carla, en Baby Doll, à califourchon sur son dos. J'allais réagir quand l'autre frère Monastir, le lieutenant Wilfried, a surgi en compagnie de Maria-Antonia, dans la même posture libertine. « À quoi jouez-vous, lieutenants de malheur ? » ai-je crié. « À saute-cabri sur la pleine lune ! mon capitaine », ont répondu en chœur les indécents *marassas* et leurs consentantes victimes, sans interrompre la double partie de cabriole !

— Cela s'appelle faire d'une pierre deux coups de Springfield ! dit sèchement le président. Il reste un dernier félon à embarquer. Un petit effort, camarades !

— Le lieutenant de la Garde, Jérôme Hilarius, fit Boss Gros-Bobo, s'est mis aussi au ban des rangs duvaliéristes. En mars dernier, président, votre célèbre discours aux étudiants de la Faculté d'ethnologie devait révéler au pays les trois principaux architectes de l'univers haïtien : Dieu, Dessalines, Duvalier. Ce jour-là, vous avez fait luire aux yeux de la jeunesse les trois D véritablement majuscules du panthéon vaudou. Le lendemain de l'événement, comme je célébrais devant le lieutenant Jérôme la géniale trouvaille, il m'a jeté à la tête, d'un air contrarié, le blasphème suivant : « Trois grands architectes de l'univers, dites-vous, chef, au prochain carnaval, les trois D du président risquent de s'abouler dans une bande carnavalesque en trois gros *Derrières*-en-campagne ! »

— Rien d'étonnant de sa part, renchérit Barbotog, le *D* suprême cher au lieutenant Hilarius est le papa-*loa Dollar*. Notre vingt-deuxième macchabée, alors qu'il n'appartenait pas à notre service de renseignement, était tout le temps fourré chez l'antenne de la CIA à Port-au-Prince, le colonel Jimmy Dickenridge.

— Merci à tous de votre loyauté, fit le président. Je charge Fifo d'inviter les 22 principaux membres de l'état-major de la gendarmerie à se présenter en tenue de gala au Fort-Dimanche, le soir du 5 août prochain. Surtout pas un mot du rôle que je concocte pour chacun de ces messieurs au sein du peloton.

Dans la matinée du 5 août, Barbotog apprit au président que les vingt-deux condamnés étaient depuis déjà trois jours, étroitement coffrés, au secret croyez-moi président au Fort-Dimanche.

— Bravo! Totog très cher, le fer duvaliérien étant chaud, il faut le battre dès ce soir, comme convenu.

Tard dans la soirée, une caravane de voitures officielles démarra au quart de tour du quartier général du Champ-de-Mars, vers la sortie nord de Port-au-Prince. Au Fort-Dimanche, des tontons macoutes armés jusqu'aux dents attendaient les hauts gradés des forces armées. Barbotog, en tête, jouant le maître de maison, serra des mains mortes de peur. Il eut un mot jovial et rassurant pour chacun des officiers.

— Merci mille fois d'être venus. Le président ne va point tarder à nous rejoindre. Son Excellence, messieurs les gradés, entend élever la nuit d'août à une hauteur de l'histoire comme qui dirait foutre-sang-tonnerre élisabéthaine! lança-t-il à la cantonade.

Les militaires se renvoyèrent le rictus le plus

jaune de leur vie : comment suivre le chef de la milice macoute dans son alpinisme de la soirée d'août ? Deux heures d'attente (plus d'un paquet de cigarettes grillées entre des doigts moites) devaient s'écouler avant l'arrivée de Papa Doc en uniforme de commandant en chef des VSN. Il répondit d'un geste dégoûté de l'index au garde-à-vous solennel de ses vingt-deux subordonnés. Il leur fit signe de le suivre jusqu'au champ de tir, à une centaine de mètres derrière les bâtiments vétustes du bagne. À l'une des extrémités d'une enceinte éclairée a giorno les vingt-deux condamnés à mort étaient déjà attachés, pétrifiés de terreur, chacun à son piquet.

— Messieurs les gradés de la gendarmerie, dit le président, vous le savez, l'homme des quatre chemins n'est pas ma tasse de café turc. Aussi, sans autre explication, j'ordonne aux 22 zombies que vous êtes de former le peloton d'exécution appelé à refroidir les 22 traîtres ici alignés devant vous. Messieurs les commandants foutre-sang-tonnerre formez le peloton, ai-je dit !

Les membres de l'état-major, en soldats disciplinés, instruits, soit à l'école des *marines* soit à West Point, s'alignèrent aussitôt dans un ensemble parfait face à des potes médusés dans leur désespoir. Ti-Râ Bordaille remit à chacun un fusil Springfield chargé.

— Messieurs les gradés, avant les ordres de

votre Chef suprême, je vous invite à écouter la parole de l'éminent ethnologue. Cette nuit, pour trucider sans cour martiale ce ramassis de traîtres, je passe outre à la vieille tradition des forces armées de la planète. Chaque grande culture démocratique est libre de tortiller du cul à sa guise, selon l'originalité de ses racines historiques. Pourquoi mes Haïtiens seraient-ils les seuls à ne pouvoir tortiller librement du gros *bounda* de leur identité culturelle ? J'écarte cette nuit tout modèle étranger d'exécution capitale. Une mise à mort ad hominem, va tortiller du cul, à l'haïtienne pardi ! Dans mon office des morts, la décharge du fusil Springfield cesse d'être unique, anonyme, aveugle. J'opte pour le coup par coup, à tour de rôle, tiré sur mon ordre, par un gradé du peloton. Ainsi, chacun des commandants de ma gendarmerie aura le loisir de fixer dans les yeux le proche ex-compagnon d'armes qu'il est appelé à précipiter en salopard absolu sous la terre de la patrie profanée. C'est la façon *duvaliérienne* de sauver l'honneur d'une gendarmerie que les Pasquier, Albi, Dominguez, Ben Estefano, Arthur Payne, Joe D. Walker, Dany Jones, et autres shérifs du mercenariat international, ont failli déshonorer à jamais. Mon dispositif de zombification étant en place, il n'y a plus qu'à passer à exécution.

— Ex-lieutenant colonel Altidor Kesner, où êtes-vous, fausse couche de macaque ?

— Ici, Excellence, soupira le condamné.

— Bien, je vous vois, vous avez trahi votre bienfaiteur par fidélité à la promotion de 1941 des gendarmes mulâtres Angelo Albi et Sonson Pasquier. Votre cousin, le colonel d'état-major Helder Wilfort, est chargé de mettre fin à vos menées de vagabond sans foi ni loi. Ex-lieutenant colonel Altidor Kesner, absent-foutre-sang-tonnerre, feu!

— Ex-major Nicolas Pépé, fils de manmanbouzin et grande pute vous-même, où êtes-vous!

— Ici, monsieur le président!

— Bien, je vois votre putasserie mulâtre, votre compère de la promotion de 1942, le major Ernest Chicognard s'enflamme, regardez-le, à l'idée de brûler au Springfield vos salopards de poumons de traître. Ex-major Nicolas Pépé, absent-foutre-sang-tonnerre, feu!

— Ex-capitaine Te Deum Maxisextus laudamus! où est votre chant latin de leste action de grâces? Don-Juan-Casanova-marquis-de-Sade-de-*bande-rara* où êtes-vous? Ah, ah, ah! vous chialez dans votre slip de gendarme dissolu! Vous ne répondez pas en macho courageux à l'appel de votre président? Je vous revois en émir saoudien à la bande déréglée au mardi gras de mes cauchemars! Une dernière fois j'ai sous les yeux l'obsédé des formes chaudes du pouvoir d'État, l'obsédé du harem à papa César! À bas tes sanglots de crocodile lubrique ! À bas le putain de clito de ta grand-mère ! Ton propre beau-frère, le gentil lieutenant-colonel surréaliste Chris-Paul Lafalaize va éteindre à mon ordre la libido à géométrie trop foutrement variable dans mon foyer ! Ex-capitaine Maxisextus sans Te Deum ni laudamus ! absent-foutre-sang-tonnerre, feu !

Le cérémonial se répéta vingt-deux fois de suite. Le seul incident de parcours fut la crise de larmes du capitaine Tédéhomme Maxisextus. Les autres exécutions, notamment celle des *marassas* Monastir, passèrent comme une lettre à la poste de la désolation.

CHAPITRE 12

L'émetteur clandestin

Mon frère Régis tenait le récit des exécutions du Fort-Dimanche d'un témoin oculaire, un copain infirmier détaché au dispensaire du bagne. À la même occasion, Régis révéla à Popa et à moi qu'un poste émetteur clandestin, Radio-Liberté, dont il était le directeur, se chargerait bientôt de divulguer dans l'opinion l'épisode qu'il venait de narrer. Le scoop de l'émission inaugurale était prévu pour le 22 août 1958.

Des semaines avant « l'affaire des shérifs de la pleine lune », Régis avait décidé de virer sa cuti d'opposant vers la conspiration. Au lieu de l'être en pétillements d'érotisme solaire, je découvris en lui un libertin froid, assumant, bon pied bon œil, tous les risques du combat clandestin. À notre insu, il était devenu, en peu de temps, le principal agent de liaison du leader de l'opposition Marc-Antoine Grandet. Celui-ci, à la tête d'une poignée de courageux partisans, ne craignait pas, de sa cachette étant, d'organiser un réseau de résistance au terrorisme d'État.

Outre Régis Dénizan, l'autre homme de confiance à Radio-Liberté était un commerçant d'origine cubaine établi depuis des années à Port-au-Prince. La blanchisserie de Tonio Alvarez, à l'enseigne de *El Oso blanco*, était située dans la partie nord du Champ-de-Mars, à égale distance du Palais et des quartiers généraux de la police et des forces armées. Deux cents mètres de gazon la séparaient à vol d'oiseau du cabinet de travail du président. C'était bien l'endroit de la ville où les sbires de Barbotog chercheraient le moins à localiser le point d'émission des ondes de propagande anti-duvaliériste.

Pour la sécurité de ses déplacements, Régis vendit la vieille jeep sans toit à laquelle la rue l'identifiait. Il acheta une petite Morris d'occasion discrètement adaptée à ses activités conspiratrices. À la grande joie de la von Hofmannsthal, il faisait preuve d'un art consommé du déguisement. À la barbe des tontons-SS, il parvenait à passer inaperçu, déguisé en gendarme, chef cuisinier, moine mendiant, ingénieur agronome, télégraphiste, hôtesse de l'air, infirmière, facteur, sapeur-pompier, voire en petite sœur des pauvres. Mais quel que fût le travesti adopté, sa personne restait en proie à la même sorte de fureur humble et désolée. L'ingénieur ou le facteur inclinait vers le sol la même rage et la même honte devant les malheurs qu'on traversait.

Il n'habitait pratiquement plus à Bourdon. Il passait de temps en temps à la maison, à l'improviste. La sachant étroitement surveillée, il y accédait par un chemin connu seulement de nous : le fond du jardin, en contrebas, avoisinait un terrain vague peu fréquenté, coupé d'une ravine que les averses changeaient en torrent de boue. À chaque visite, Régis plaçait Popa et moi devant une forme différente de travesti.

L'après-midi du 23 août, le visiteur costumé qui nous raconta la tuerie du Fort-Dimanche, portait la soutane blanche des pères Oblats de Marie. Il avait sur la poitrine une énorme croix de bois rustique. Il n'avait plus rien de personnel à nous confier. Son humanité gardait la tête baissée autant devant les grands massacres du monde que devant les tâches minuscules d'agitation qu'il venait d'exécuter, tout au long d'une journée torride, à La Saline, au Bel-Air, à Bolosse, Lakou-Bréa, Tête-Bœuf, et autres quartiers de Port-au-Prince où depuis toujours l'espoir ne tenait qu'à un vieux bout de ficelle.

J'aidai de mon mieux les émissions de Régis à Radio-Liberté à donner aux Haïtiens le sentiment qu'ils faisaient dans un tunnel un surplace existentiel d'où leur tiers d'île dans son ensemble risquait de sortir les pieds devant. J'écrivis pour Régis l'histoire des exécutions qu'il nous avait rapportée de vive voix. L'écoute de Radio-Liberté prit une importance extraordinaire. Pour les autorités, une seule chose comptait : localiser, à n'importe quel prix, l'heure de vérité qui, chaque soir, donnait à voir la face de méduse du Front national vaudou du salut.

Barbotog orienta en vain la traque dans les quartiers résidentiels de la capitale, à Pétionville, à La Croix-des-Bouquets, dans les hauteurs de Kenscoff et de Furcy, dans les localités balnéaires de Jacmel. Après plusieurs jours d'inutile branle-bas des tontons macoutes, le président décida de solliciter le soutien technique des forces navales de la base nord-américaine de Guantanamo, à la pointe orientale de Cuba. Un destroyer des États-Unis, en patrouille dans les eaux haïtiennes, reçut l'ordre de débarquer dans l'île une équipe de spécialistes en détection. Après une semaine de repérage, elle fit parvenir à Duvalier un rapport formel : Radio-Liberté émettait à partir d'un endroit situé à coup sûr dans l'aile nord du Palais présidentiel.

Les appartements privés de la famille Duvalier se trouvaient dans cette partie de l'édifice. Le fameux *houngan* de Mirebalais, Victor-Hugo Novembre, y occupait aussi un studio de fonction, à titre « d'aumônier particulier du président de la République ». Papa Doc, à la sortie de sa chambre à coucher, n'avait que quelques pas à faire sur des tapis persans pour reprendre, à n'importe quel moment de la nuit ou du jour, ses conciliabules secrets avec Baron-Samedi ou avec tout autre *loa* politique des cimetières que Novembre avait le pouvoir de convoquer.

Aussitôt après la traduction en créole du rapport des experts de l'US Navy, Papa Doc se précipita chez son sorcier officiel. Victor-Hugo Novembre ne demeura pas court devant la révélation. Ses méthodes d'investigation étaient justement sur le point de le conduire à la même conclusion que le savoir pointu des gros experts blancs-méricains de Guantanamo. Plusieurs soirs de suite, Baron-Samedi, assisté du fameux dieu-détective Ogou-Badaviolet, avait détecté dans les zones d'habitation du Palais des ondes suspectes, juste à l'heure où Radio-Liberté commençait à émettre. Quand les émissions s'arrêtaient les ondes vagabondes allaient rôder sous les draps parfumés de Carla ou de Maria-Antonia.

— Ton ennemi mortel, continua Novembre, le candidat vaincu aux dernières élections, le mauvais coucheur Marc-Antoine Grandet, du trou de crabe où il est embusqué, a la faculté diabolique, à la nuit tombée, de se changer en émetteur clandestin. Il peut émettre librement à partir de ta salle de bain ou de ton W-C. Si on le laisse faire, Grandet, pour te nuire, prendra d'autres formes d'existence : piano à queue, et à dents de requin, dans ton boudoir japonais de repos ; chien labrador noir écumant de plaisir tout près des orgasmes épiques du couple présidentiel ; épidémie de bactéridie charbonneuse à l'assaut des globules du Front national vaudou du salut. Changé en godemichet-pur-sang, il peut jucher la première dame et Carla et Maria-Antonia en amazones sur son dos en érection, dans une chevauchée infernale, avant de leur faire subir une *déchalborade* de première dans l'histoire universelle des partouzes. Aidé de ses frères, tous militants de la secte des cochons-sans-poils, Marc-Antoine s'est métamorphosé — ces temps-ci — en *télédyòl* hertzien du soir. Il est entré en campagne contre ta révolution. La famille Grandet dans son ensemble doit rejoindre sans délai le formol des bocaux où nous conservons les têtes coupées de nos ennemis. C'est la seule façon de faire taire Radio-Liberté.

Papa Doc fit illico sienne la sentence de mort de Victor-Hugo Novembre. La nuit même de l'arrêt, il lança dans l'île la chasse aux Grandet et Cie. Il donna l'ordre de passer au peigne fin Port-au-Prince et sa banlieue, maison après maison, jusqu'à trouver la planque des frères Grandet. La consigne était d'abattre les mâles et les femelles de la famille, sans épargner les enfants, les parents et alliés. Il fallait étendre la battue aux hommes et aux animaux qui portaient les mêmes prénoms que les Grandet : tous les Marc-Antoine, Ducasse, Charles, Clément-Napoléon devaient disparaître. Étaient également mis hors la loi les chiens noirs, nombreux à errer dans les rues, itou les pianos à queue, itou les sacs de charbon à brûler, porteurs souvent de la maladie politique du même nom. Pour la réussite de la rafle générale, aux diverses catégories de civils mobilisés à l'aube du 29 juillet, Ti-Râ Bordaille ajouta les tenanciers de bars et de maisons closes, les employés de banque, les témoins de Jéhova, les réparateurs de bicyclettes, les ferblantiers-zingueurs des bas-fonds de la capitale.

Le nouveau carnaval meurtrier chauffa à blanc les esprits. Des mots d'ordre sauvagement lapidaires étaient empruntés aux légendaires carnages du passé : coupez les têtes et les couilles ! Emmanchez jusqu'à la garde les gros *boundas* des grands-mères et des marraines ! Brûlez les maisons et les titres de propriété !

Le règlement de comptes qui visait au départ « l'engeance dépravée des frères de Radio-Liberté » s'étendit rapidement à d'autres secteurs de l'opposition. Victor-Hugo Novembre fit inclure également dans la répression des animaux et même des objets qu'il jugeait suspects : oiseaux à plumes noires, chevaux à robe d'ébène, tableaux noirs des écoles. À la chapelle de l'établissement des Sœurs de la Sagesse, un chef milicien, ayant décelé un certain air de parenté entre le docteur Clément-Napoléon Grandet et la statue de saint Marc l'Évangéliste hurla à un groupe en uniforme de macoutes l'ordre de faire tomber en poussière « ce Grandet embusqué dans la foi apostolique et romaine ».

Sur le parvis de la cathédrale, Boss Gros-Bobo regroupa en 5 colonnes de 22 femmes, recrutées dans 122 familles de l'opposition, chacune un cierge de 22 kilos dans les bras. Il les fit défiler nues sous les huées obscènes d'une populace en délire. Ce fut l'occasion pour lui d'annoncer dans un haut-parleur que les quatre frères Grandet venaient d'être abattus alors que, déguisés en religieuses, ils s'enfuyaient d'un couvent de Port-au-Prince.

Les funérailles des Grandet mirent fin à une interminable semaine de sépultures. Au passage du cortège funèbre, le somptueux après-midi d'août parut dans sa souveraine tendresse l'inverse du convoi désespérément effaré qui suivait les quatre corbillards.

Au chœur de la cathédrale, on aligna les Grandet côte à côte sous un seul massif de fleurs. Au pied de l'autel, une dizaine de prêtres, haïtiens et étrangers, assistèrent en diacres les nombreux évêques de l'office.

Au bout de vingt-cinq minutes de cantiques

et de prières en latin, des cris d'horreur devaient couvrir les grandes orgues et rompre brutalement l'apparat musical déchirant de la cérémonie. Par l'entrée principale du temple, comme par ses accès latéraux, une centaine de miliciens, torses nus, un foulard rouge autour de la tête, se frayèrent à coups de machettes le passage jusqu'aux catafalques.

En moins d'une minute, les cercueils étaient kidnappés et emportés. Les religieux qui essayèrent d'empêcher le quadruple enlèvement des corps eurent aussitôt leur vie en compote. La rumeur qui circulait depuis une semaine devenait la cruelle réalité du samedi 29 août 1958.

Papa Doc et son maître en sorcellerie avaient aligné sur une étagère, au sous-sol du Palais, quatre bocaux flambant neufs destinés à accueillir dans le formol les cœurs de Marc-Antoine Grandet et de ses frères.

— Après le vol de leurs jours, on nous a volé aussi leur mort, et nos paroles d'adieu devant leur tombeau, nous dit pour conclure son récit l'homme déguisé en père Oblat de Marie.

Il était passé nous dire au revoir avant de se réfugier dans une ambassade sud-américaine sous son vrai nom de Régis Denizan.

ÉPILOGUE

Après le bain de sang et le kidnapping de la fin août 1958, admis à l'ambassade du Venezuela, Régis a obtenu rapidement un sauf-conduit pour quitter Haïti. À son tour, Guy-Luc n'a pas tardé à s'en aller. Le 25 septembre, au soir, une cérémonie à l'église Saint-Pierre, à Pétionville, devait sceller, sans tambour ni trompette, ses noces avec Marie-Françoise Périgard. Seuls quelques intimes ont assisté à la réception offerte par les parents de la mariée, à leur domicile de la place Boyer. Dès le lendemain, le vol 642 de la Pan American Airways emmena le couple en Californie. (Des décennies après, notre frère apiculteur vieillit bien sur une ferme près de Salinas, à la tête d'une prospère colonie d'abeilles, entouré de petits-enfants et d'arrière-petits-enfants, la smala de mes arrière-neveux et nièces des États-Unis.)

Le dimanche du départ de Guy-Luc, sitôt rentrés de l'aéroport, nous deux ma mère, on s'isola au jardin pour l'examen de notre nouvel état des lieux.

— Ça y est, dis-je, Papa Doc a réussi à faire le vide dans ta maisonnée. Me voici seul dans son collimateur d'assassin. Ma mort sur mesure lui prendra du temps.

— Nous voici, dit ma mère, les trois derniers combattants, en comptant von Hofmannsthal !

— Que peut contre la terreur un trio de résistants désarmés ?

— Dick chéri, dit ma mère, pose directement la question à l'hôte mythique de ma tête.

C'était la première fois que j'allais, sans témoin, en tête à tête, converser avec une *mère-cheval* de bataille dans son état de possession.

Dianira Fontoriol se carra à son aise dans le rocking-chair. La convulsion qui précède la transe rituelle parcourut tout son corps tandis qu'elle clignait vivement des paupières. Ses membres, bras et jambes, tremblaient. Un vide total s'empara de sa personne, comme si elle allait perdre connaissance. À travers un véritable dédoublement de la personnalité, ses jeux de physionomie, sa respiration haletante, le ton de sa voix, ses gestes cherchaient à refléter le caractère d'un mâle blanc. Hugo von Hofmannsthal se manifesta à mes yeux avec toute l'évidence qu'on pouvait attendre d'un esprit d'élite de son calibre.

— Von Hofmannsthal, dis-je à brûle-pourpoint, ton *cheval* et moi, serions-nous désormais sans défense aucune face à la barbarie?

— Dick Denizan, dit le *loa* blanc, ton combat contre les barbares a commencé dès que tu as prêté l'oreille au bulletin d'information de Radio-Rebelde, qui émet chaque soir à partir des contreforts de la Sierra Maestra.

— Est-ce faire de la résistance à la papado-cratie que d'écouter la voix de la guérilla des frères Castro?

— Oui, dit le conseiller surnaturel de ma mère, tu as parlé avec ferveur à mon *cheval* d'un commandant guérillero qui porte un sobriquet argentin.

— Che Guevara, dis-je. À son sujet, j'ai entendu un éloge qui m'a coupé le souffle. Ce médecin argentin de trente ans est si rayonnant d'utopie généreuse qu'en combattant à ses côtés, ses compagnons de guérilla écoutent le glouglou que des rêves féconds font dans sa tête de jeune homme en colère! Il me fait brûler d'envie de rejoindre dans la montagne les maquisards cubains.

— C'est la bonne décision que, mon *cheval* et moi, nous souhaitons te voir prendre sans tarder. En bateau à voiles, du lieudit Cap-à-Fou, au nord-ouest des côtes haïtiennes, à Chivirico, sur le littoral cubain, on a pour seulement trois petites heures de traversée de la Passe-du-Vent. Des pêcheurs sillonnent celle-ci chaque nuit.

Pour une bouchée de pain, l'un d'eux te déposera dans un endroit sûr de Cuba. Ne mets plus à sécher ton linge de poète sur la corde du stalinisme à l'haïtienne. Une fois sur le sol cubain, adhère, corps et âme, au *M26-7*[1] des frères Castro Ruz.

— Mon adhésion au *M26-7*, dis-je, me permettra de faire d'une pierre deux coups : échapper « à la mort sur mesure » et au terrorisme des staliniens d'Haïti.

— Avec un peu de chance, dit le *loa*, tu seras un Cubain de plus dans la révolution castrofidéliste.

— Et que ferai-je, dis-je, si Cuba devait, à son tour, se fourvoyer dans le détournement en cours des idéaux de la révolution d'Octobre ?

— Dans l'ailleurs français d'Haïti, dit le *loa*, tu seras en mesure de rester debout, sur le qui-vive appris de mon *cheval*. Sa musique de femme sera dans ton parcours une force d'illumination comparable à celle qu'une princesse de l'ancien Orient leva une fois dans la mémoire offensée de son temps pour déjouer les basses manœuvres de l'animalité humaine !

— Popa Singer-Hugo von Hofmannsthal, dis-

---

[1] *M26-7 :* mouvement du 26 juillet, créé en 1953 par Fidel Castro, après l'échec du commando qu'il a conduit à l'assaut de la caserne Moncada, à Santiago de Cuba.

je, serait-ce la double juridiction qui est appelée
à féconder l'été indien de mes écritures ?

— Mon *cheval* et moi, dit le *loa*, nous t'invi-
tons à prendre aux Haïtiens l'incandescence
même de leur tragédie sans fin pour souffler le
verre de la tendre parole des poètes.

MODE D'EMPLOI

À l'origine de l'état de possession propre à Dianira Fontoriol, alias Popa Singer von Hofmannsthal, la figure emblématique de ce livre, il y a l'achat qu'elle effectua d'une machine à coudre Singer dans un magasin de Jacmel. Le négociant allemand, pour échapper à la police de son pays, avait mis pour enseigne à son établissement du bord de mer le nom du célèbre auteur autrichien Hugo von Hofmannsthal. Telles sont les circonstances constitutives du *loa* à identité rhizomatique qui, dans ce récit, s'incarne dans les jours d'une mère haïtienne.

J'avais alors adressé le manuscrit à l'éditeur sans l'accompagner d'un mode d'emploi. Très maladroitement, j'avais soumis à sa lecture avisée une histoire où l'on voit étrangement un objet de la mécanique des Blancs, un maître de la poésie et du théâtre viennois, monter *en loa-conseiller* dans la tête d'un *cheval* qui aidait sa famille à résister à des temps de barbarie.

Le récit, écrit dans la tradition du réel-merveilleux haïtien, sans clefs de lecture, était impubliable. Il allait rester de longues années dans les ténèbres d'un tiroir. Du coup, cet échec me rendit incapable de réaliser un quelconque projet de fiction parmi les synopsis en souffrance sur mes chantiers. Mon mutisme narratif était total sans que je sois pour autant atteint du syndrome de Bartleby, le fameux personnage de Hermann Melville. Ma crise d'écriture romanesque, même dans sa période la plus aiguë, ne devait pas m'interdire d'écrire des poèmes et de petits essais en prose.

Aujourd'hui, le lecteur a sous les yeux le code de l'imaginaire composite des Haïtiens : les êtres humains, les animaux, les objets, les végétations qui les entourent ; de même que les phénomènes naturels (rivières, mers, cyclones, volcans, séismes) ; et les phénomènes surnaturels (*loas*, états de possession, épiphanies des dieux du vaudou) forment un tout cosmique dans l'aventure du vivre-ensemble des humanités.

Table

PRÉLUDE ⋅ 9

PREMIER MOUVEMENT
Un lundi qui tourne au pipi de tigre ⋅ 17.
L'Homo Papadocus ⋅ 31.
Le camarade Kola ⋅ 45.

UN RETOUR EN HAÏTI ⋅ 51.

DEUXIÈME MOUVEMENT
L'Utopie à la Popa Singer von Hofmannsthal ⋅ 57.
Conte de fées dans l'écurie d'Augias ⋅ 65.
La mort coupée sur mesure ⋅ 73.
Cellule de crise à Bourdon ⋅ 85.

HEUREUX LES PIEDS DU MESSAGER ⋅ 91.

TROISIÈME MOUVEMENT
Sonatine de l'amour malheureux ⋅ 99.
Le parrain de noces ⋅ 103.
Les événements du 29 juillet 1958 ⋅ 107.
Le cauchemar sans fin ⋅ 127.
L'émetteur clandestin ⋅ 137.

ÉPILOGUE ⋅ 147.

MODE D'EMPLOI ⋅ 153.

LA COUVERTURE DE
Popa Singer
A ÉTÉ CRÉÉE PAR DAVID PEARSON
ET IMPRIMÉE SUR OLIN ROUGH
EXTRA BLANC PAR L'IMPRIMERIE
FLOCH À MAYENNE.

LA COMPOSITION,
EN GARAMOND ET MRS EAVES,
ET LA FABRICATION DE CE LIVRE
ONT ÉTÉ ASSURÉES PAR LES
ATELIERS GRAPHIQUES
DE L'ARDOISIÈRE
À BÈGLES.

IL A ÉTÉ ACHEVÉ D'IMPRIMER
EN FRANCE SUR LAC 2000
PAR L'IMPRIMERIE FLOCH À MAYENNE
LE TRENTE ET UN DÉCEMBRE DEUX MILLE QUINZE
POUR LE COMPTE DES ÉDITIONS ZULMA,
HONFLEUR.

978-2-84304-765-7
N° D'ÉDITION : 765
DÉPÔT LÉGAL : FÉVRIER 2016

✺

NUMÉRO
D'IMPRIMEUR
891 95

✺